Paul Bocuse
France

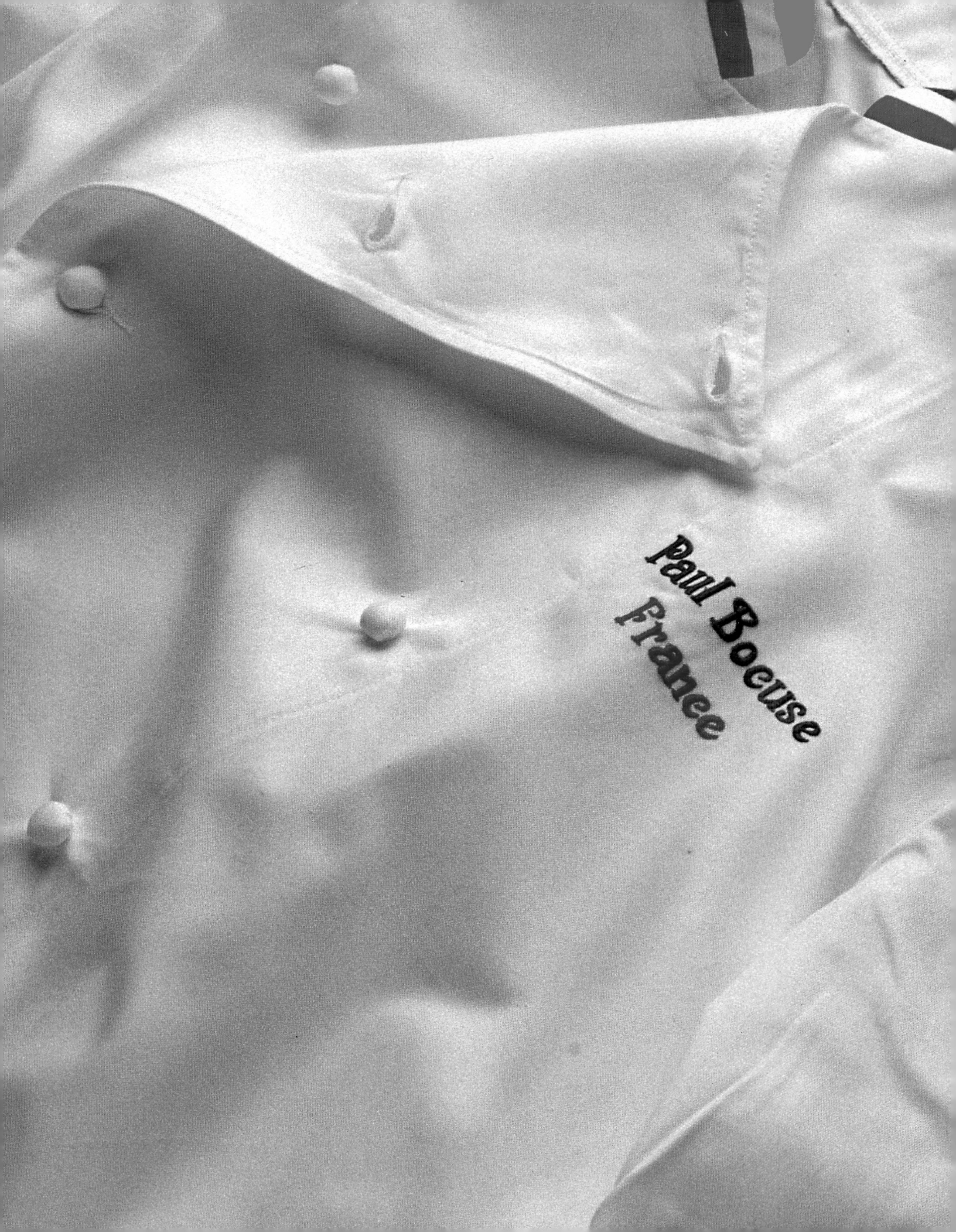
Paul Bocuse
France

# BOCUSE

## Cuisine des régions de France

avec la collaboration de
Martine Albertin et Anne Grandclément
assistées de Pascale Couderc
Photographies de Dietmar Frege

Flammarion

Direction éditoriale
Ghislaine Bavoillot
Direction artistique
Marc Walter

© Flammarion 1997
ISBN 2-08-200858-4
N° d'édition FT085810
Imprimé en Italie par Canale
Dépôt légal : septembre 1997

# SOMMAIRE

Je n'en suis pas à mon premier livre de cuisine. Certains l'auront sans doute déjà noté. Et parmi ceux-là il s'en trouvera sûrement pour se demander ce qui peut bien être si nouveau ou si remarquable en matière culinaire pour que je tienne encore une fois à le souligner.

A vrai dire ce qu'il y a de remarquable, c'est qu'en dépit des vagues de modernité et des révolutions de fourneaux, la tradition ne s'est jamais mieux portée.

Dire que les modes et courants divers qui ont traversé la cuisine ces dernières années n'ont servi à rien ne serait cependant pas exact. On ne mange plus en 90 comme au début du siècle. On mange moins, on équilibre les matières grasses, on fait attention aux sucres. On fait attention à soi. Avec modération et en prenant bien garde de ne pas escamoter cette indispensable notion de plaisir qui flotte autour des choses de la table.

*«Un des plaisirs de la Province, c'est de faire et voir pousser les légumes, dans son propre jardin. J'ai cette chance.»*

Pour ce faire on met l'accent sur les meilleurs produits, ceux qui ont le goût «juste» : vrais fromages bien affinés, beurres onctueux, poissons brillants et frais comme l'œil, volailles de course élevées au grain, viandes de terroir, fruits et légumes savoureux, pains qui sentent le champ et le grain.

Bref on a enfin compris qu'il ne saurait y avoir de vraie cuisine saine, savoureuse, ni même diététique, sans un retour à la qualité des éléments qui la composent.

Après un passage aseptisé qui aurait pu, un temps, annoncer le pire, l'industrie agroalimentaire elle-même se décide à mettre son savoir-faire et ses techniques au service du vrai goût. Et si les fast-food continuent de pousser ici et là comme des champignons, le bon petit plat mijoté dans les règles, avec patience et bonne humeur, n'est certes pas en perte de vitesse, au contraire.

Dans ce livre j'aimerais vous convaincre de tout cela et, surtout, que ce sont souvent dans les vieux pots qu'on fait les meilleures soupes...

J'aimerais aussi qu'il se feuillette, se lise et se pratique comme une balade. Balade à travers le temps, quelquefois, lorsque telle ou telle recette retrouve sa place et sa naissance dans un siècle bien précis ou un événement historique particulier. Balade du promeneur aussi qui exerce sa gourmandise et sa curiosité en traversant la France de part en part et qui reconnaît la douceur et l'accent d'une région au fumet qui s'échappe de ses casseroles. La France ne se visite pas seulement tout au long des salles de musées ou dans la fraîcheur des vieilles églises. La France se respire, se goûte, je dirais presque qu'elle se mâche.

Certains d'entre vous auront peut-être une «digestion difficile» en s'apercevant que leur province préférée a été nouvellement annexée à une aire géographique qu'ils n'auraient pas forcément choisie. Je les entends déjà critiquer mes tendances expansionnistes, tout au moins celles qui m'ont fait rattacher sous la dénomination «Lyonnais» tout un ensemble de territoires et de traditions culinaires qui pour être voisins n'en ont pas moins leur génie propre.

On pourrait expliquer cela par une volonté de l'éditeur de faire tenir dans des cases précises tout ce qui échappe. Ce ne serait pas honnête de ma part : ils se sont mis à trois, pas moins, pour m'empêcher de tirer trop loin la couverture lyonnaise. Quelquefois, je regrette d'avoir cédé, le jeu avait quelque chose de grisant.

Quoi qu'il en soit, je crois m'être attaché, chaque fois que la chose était possible, à rendre sa véritable identité à chacune des recettes proposées, en respectant le goût des produits locaux et les tours de main d'un terroir particulier. Quelquefois j'ai allégé ici, adapté là : ce qu'il y a de bien aussi dans la tradition, c'est son côté mouvant et toutes les variations qu'on peut lui appliquer.

Quelquefois, je m'en suis tenu à la façon de faire la plus classique. J'espère que cette «Cuisine de France», la vraie, celle qui s'inscrit hors des modes mais sait aussi prendre dans l'instant ce qu'il y a de meilleur, deviendra la vôtre, dans le plaisir des saveurs retrouvées.

*«Il y a une véritable harmonie dans l'aspect des couleurs et des formes et la composition d'un beau plateau de fromage : le blanc des "barattes" tranche sur le gris rosé des "Charolais".*

*La tome de Savoie apporte son volume solide, le reblochon est doux au toucher et le Saint-Marcellin choisi juste avant qu'il ne s'abandonne…»*

*«Le potager est tout près du restaurant. C'est le domaine de Marcel Besson, dit Bobosse, qui depuis 8 ans me tient au courant de l'arrivée du premier haricot vert, de la bonne forme du cardon ou de la fin prochaine du pois gourmand...»*

LYONNAIS

« D ans le Lyonnais, vous mettez quoi ?» : question perfide s'il en est... Car le Lyonnais, c'est ici, chez moi, mais c'est aussi ailleurs ; plus je balaye la carte de France en effet, plus j'ai l'impression qu'autour d'une table, nous sommes tous cousins. Il faut bien avouer cependant que nous avons une position privilégiée et une réputation «de gueule» que confirme notre coup de fourchette. C'est que Lyon, fidèle à son image, est bien une ville qui donne faim. D'ailleurs il ne se passe pas une matinée aux Halles de la Part-Dieu sans que je retrouve mes amis de toujours, après le marché, pour partager un casse-croûte à la Lyonnaise, ou

«mâchon» : une douzaine d'huîtres, un sabaudet, un tablier de sapeur ou des pieds de mouton en salade. Une «invention» de ces ouvriers de la soie lyonnaise, les canuts, qui pour pallier les vicissitudes d'une condition pénible, avaient réussi à s'octroyer quelques moments de liberté et de plaisir gustatif. Le vrai «mâchon» à Lyon est un petit déjeuner de travailleur des Halles, un repas complet, bien arrosé de beaujolais et déconseillé aux appétits d'oiseau. C'est un rite obligatoire,un passage initiatique nécessaire pour être «de Lyon» ne serait-ce que l'espace

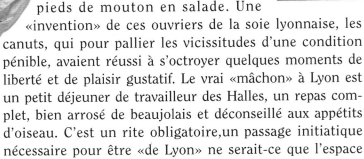

d'une journée, et pour se sentir chez soi dans tout le Lyonnais.

Le Lyonnais tel que je l'entends englobe tout naturellement la Bourgogne, ses vignobles et sa formidable tradition culinaire qui fait de la région un centre (un de plus) de la gastronomie. De Dijon, sa moutarde, son cassis, son pain d'épices, son jambon persillé, ses écrevisses, on passe à la Bresse et ses poulardes et chapons, au Charolais avec ses bœufs de concours, et aux poissons d'eau douce de la Dombes. Les Franc-Comtois, dont l'accent est très proche du nôtre, appartiennent eux aussi à la grande famille des Lyonnais, nous apportant leur bleu de Septmoncel, leur morbier, leur comté et leurs vins jaunes au goût de noisette. Lyonnaises enfin la vallée de la Saône, avec ses fruits et

légumes, une partie de la Savoie et de l'Auvergne proche. Un pays donc plus vaste qu'on pourrait le croire... et de surcroît plein de fabuleuses cuisinières et d'excellents chefs!

# Soupe au chou

*ès le Moyen Age le chou fait connaître ses vertus (médicinales d'abord, gustatives ensuite) et devient le légume- roi de toutes les soupes paysannes qui se respectent. En Auvergne où un chou reste un chou, on n' hésite pas à affirmer que la meilleure soupe qui soit doit être faite d'un chou ayant subi l'assaut des gelées.*

Remplir une grande marmite de 3 litres d'eau.

Ajouter le lard. Porter à ébullition et laisser frémir 10 minutes en écumant.

Eplucher le chou, le laver, le couper en quatre.

Le faire blanchir, 5 minutes à l'eau bouillante, le retirer.

Eplucher pommes de terre, carottes, navets, poireaux, et oignon. Piquer ce dernier du clou de girofle.

Laver les légumes. Couper carottes, navets, poireaux en gros morceaux.

Ajouter le chou, les carottes, les navets, les poireaux, l'oignon et le saindoux dans la marmite.

Faire repartir l'ébullition et ajouter une poignée de gros sel et quelques grains de poivre.

Couvrir et laisser cuire à petits bouillonnements pendant 45 minutes.

Ajouter les pommes de terre coupées en quatre, 20 minutes avant la fin de la cuisson.

Servir cette soupe sur des tranches de pain de campagne mises au fond des assiettes.

POUR 6 PERSONNES

1 beau chou vert,
5 pommes de terre (bintje),
3 carottes,
2 navets, turnips
2 poireaux, leeks
1 gros oignon,
400 g de lard demi-sel,
1 clou de girofle, clove
3 litres d'eau,
1 cuillerée à soupe
de saindoux, lard
gros sel, poivre blanc
en grains
6 tranches de pain
de campagne.

*Temps de cuisson
1 h 5 min*

# Soupe au potiron

*hez nous, dans le Lyonnais, on dit soupe de courge. On en fait également des gratins et des purées et, dans le Nord, on l'utilise comme garniture de tarte. C'est, en tout cas, un légume trop souvent oublié dans les régions qui ne l'imposent pas dans leurs traditions culinaires. Il apparaît sur les marchés de l'automne à décembre et peut se conserver longtemps, entier.*

Couper un chapeau dans le potiron. Le creuser délicatement sans percer la peau.

Retirer la partie filandreuse et les pépins attenants à la chair du potiron. Couper la pulpe en morceaux.

Faire cuire les morceaux de potiron à la vapeur, 20 minutes.

Faire chauffer le bouillon de volaille.

Passer la pulpe du potiron au mixer en ajoutant au fur et à mesure le bouillon bouillant. Reverser le tout dans une casserole, ajouter la crème et mélanger bien.

Assaisonner en poivre, sel et muscade.

Porter sur feu moyen jusqu'à l'ébullition. Donner quelques bouillons.

Couper les croûtons en petits cubes.

Verser la soupe dans le potiron creusé. Parsemer des croûtons en dés. Saupoudrer de cerfeuil haché.

POUR 6 PERSONNES

1 petit potiron
(2 kg environ),
200 g de crème épaisse,
50 cl de bouillon
de volaille,
sel, poivre,
noix de muscade.

Accompagnement :
10 croûtons grillés
et quelques brins
de cerfeuil.

*Temps de cuisson
30 min environ*

**POUR 6 PERSONNES**

1 kg de poireaux,
500 g de pommes
de terre (bintje),
80 g de beurre,
2 litres d'eau,
3 dl de crème liquide,
1 brin de thym,
1 brin de persil,
10 brins de ciboulette,
sel, poivre.

*Temps de cuisson
50 min*

L e chef qui l'inventa venait du Bourbonnais et créa cette soupe froide aux poireaux et pommes de terre au Ritz Carlton de New York au début du siècle. *Sa vichyssoise y fit un malheur, devenant là-bas et ici une des illustrations de la grande cuisine française. Normal, donc, que nous l'inscrivions à l'inventaire des recettes du patrimoine. Signalons qu'il existe aussi une «vichyssoise à la Ritz» où entre un peu de tomate, mais la véritable vichyssoise reste de pommes de terre, de poireaux et de crème, c'est tout.*

Eplucher les poireaux, les ouvrir en croix, les laver soigneusement, ne garder que le blanc.

Eplucher les pommes de terre, les laver, les couper en gros dés.

Emincer les blancs de poireaux.

Faire fondre le beurre dans une grande casserole.

Y ajouter les blancs de poireaux émincés, les laisser fondre à feu doux, sans prendre couleur.

Ajouter les dés de pommes de terre dans la casserole, bien mélanger.

Verser l'eau par-dessus, saler, poivrer et ajouter les brins de persil et de thym.

Porter à ébullition et laisser cuire à petits frémissements 35 minutes environ.

Egoutter poireaux et pommes de terre, retirer les brins de thym et de persil. Réserver un peu de l'eau de cuisson.

Mettre les légumes dans le bol du mixer, les réduire en purée.

Reverser cette purée dans la casserole avec une louche de l'eau de cuisson et la crème.

Poser sur feu moyen et ramener à ébullition sans cesser de fouetter.

Laisser refroidir avant de mettre au réfrigérateur pour 2 heures.

Au moment de servir, rectifier l'assaisonnement en sel et poivre.

Verser la vichyssoise dans des tasses à consommé et parsemer le dessus de ciboulette hachée.

# Gratinée lyonnaise

*A Lyon l'oignon n'est pas rare et nous affirmons même être les inventeurs de la soupe à l'oignon que l'Ile-de-France et les Halles de Paris ont reprise à leur compte en lui ajoutant croûtons et fromage râpé. Nous ne pouvions nous laisser détourner ainsi. Voici donc la véritable gratinée lyonnaise comme nous l'aimons chez nous.*

Eplucher les oignons et les émincer finement.

Faire fondre 60 g de beurre dans une cocotte en fonte et y faire revenir les rondelles d'oignons. Laisser bien dorer en remuant fréquemment.

Quand les oignons ont pris belle couleur, les saupoudrer de farine.

Laisser cuire encore une minute, mouiller avec l'eau ou le bouillon. Saler et poivrer selon goût (s'il s'agit d'un bouillon il conviendra de faire bien attention au sel).

Laisser cuire 30 minutes à petits bouillons. Réserver.

Durant la cuisson du bouillon d'oignons, couper le pain en tranches minces et les faire légèrement griller.

Râper la moitié du fromage et couper l'autre moitié en fines lamelles.

Dans le fond d'une soupière allant au four, mettre les 15 grammes de beurre qui restent et un peu de gruyère râpé. Recouvrir de tranches de pain grillé, elles-mêmes recouvertes de lamelles de gruyère.

Recommencer ainsi l'opération en faisant alterner tranches de pain couvertes de fromage émincé et râpé.

Mouiller alors à hauteur avec le bouillon d'oignons et faire gratiner au four jusqu'à absorption complète du liquide.

Rajouter le reste du bouillon et 1/2 verre de cognac.

Remettre au four pendant 10 minutes.

Au moment de servir à même la soupière on peut incorporer à la gratinée le verre de porto dans lequel on aura battu le jaune d'œuf.

Cette soupe se mange très chaude, brûlante même.

POUR 4 PERSONNES

350 g d'oignons jaunes,
75 g de beurre,
30 g de farine,
sel et poivre du moulin,
1,5 l d'eau,
300 g de fromage
de gruyère,
pain rassis,
1/2 verre de cognac,
1 jaune d'œuf (facultatif),
1 verre de porto (facultatif).

*Temps de cuisson
1 heure*

# Cervelle de canut

*La dénomination peut sembler barbare à certains, mais ici il ne s'agit que de fromage blanc ferme, bien battu, salé et poivré, parfumé d'échalotes hachées, de fines herbes et de vin blanc. On peut le servir en jatte, comme entrée, ou à la fin du repas au moment du fromage, accompagné de tranches de pain grillées.*

Démouler les fromages dans un saladier.

Effeuiller le persil, l'estragon et le cerfeuil.

Hacher finement toutes les herbes séparément.

Passer la gousse d'ail au presse-ail afin d'en extraire le jus.

Eplucher et hacher les échalotes.

Verser le vinaigre dans les fromages blancs et les battre avant d'incorporer l'huile d'olive.

Assaisonner en sel et poivre.

Incorporer les échalotes hachées, le jus d'ail et les herbes. Bien mélanger et mettre au frais 2 heures.

POUR 6 PERSONNES

5 fromages blancs frais en faisselle (claqueret),
4 échalotes,
1 gousse d'ail,
10 brins de ciboulette,
10 brins de cerfeuil,
6 brins d'estragon,
8 brins de persil plat,
2 cuillerées à soupe de vinaigre de vin,
2 cuillerées à soupe d'huile d'olive,
sel, poivre.

# Œufs «à la tripe»

*Ce sont tout simplement des œufs durs à la Béchamel et aux oignons. Un plat typiquement lyonnais dont l'étymologie reste encore à découvrir. Pour certains, la présence d'oignons coupés en fines lamelles suffit à faire penser au gras-double à la lyonnaise. D'où la dénomination «à la tripe». Pour d'autres, il faut voir là une spécialité des tripiers lyonnais qui la mettaient au menu de leur casse-croûte.*

Eplucher les oignons, les couper en deux, puis en fines lamelles.

Les faire blanchir 5 minutes à l'eau bouillante. Les égoutter.

Les mettre dans une grande casserole, la poser sur feu doux et les faire «suer» pour les assécher.

Ajouter le beurre. Faire prendre aux oignons une couleur dorée en les tournant avec une cuillère en bois.

Lorsqu'ils sont colorés, les saupoudrer de farine, mélanger.

Verser le bouillon bouillant par petites quantités sans cesser de tourner. Saler, poivrer et ajouter une pincée de muscade.

Laisser cuire à feu doux sans cesser de tourner pendant 20 minutes.

Faire cuire les œufs durs. Les écaler, les couper en rondelles à l'aide d'une petite mandoline.

Verser la moitié de la sauce au fond d'un plat creux, disposer les rondelles d'œufs durs encore chauds et les napper de la sauce restante.

POUR 6 PERSONNES

9 œufs,
500 g d'oignons,
100 g de beurre,
40 g de farine,
8 dl de bouillon de volaille
(ou de lait),
sel, muscade, poivre.

*Temps de cuisson
35 min*

# Soufflé au fromage

*Le soufflé le plus classique sans doute, et aussi le plus «ménager». La Françoise de Proust aurait dit que pour le réussir il fallait le tour de main. C'est vrai. Par ailleurs, il est aussi conseillé d'utiliser plus de jaunes que de blancs. Ici, j'ai choisi du fromage de Gruyère, mais un soufflé au comté est tout à fait remarquable.*

POUR 4 PERSONNES

20 g de beurre + 5 g,
2 cuillerées à soupe
de farine,
20 cl de lait,
20 cl d'eau,
40 g de gruyère râpé,
3 œufs (+ 1 jaune),
sel et poivre,
noix de muscade.

*Temps de cuisson
25 min environ*

Faire fondre le beurre à feu doux dans une casserole. Ajouter la farine et remuer à la cuillère en bois.

Lorsque le mélange commence à mousser et sans lui laisser prendre couleur, délayer avec le lait chaud additionné d'eau. Laisser cuire cinq à six minutes en continuant de remuer.

Oter du feu et ajouter une pincée de sel.

Préchauffer le four à 180° (Th.6).

Séparer les blancs des jaunes (3 blancs et 4 jaunes).

Battre les blancs en neige très ferme au batteur électrique. Incorporer les jaunes légèrement battus à la béchamel tiède.

Ajouter le fromage râpé.

Saler, poivrer et incorporer une pincée de noix de muscade. Avec précaution, en les soulevant à la spatule, ajouter les blancs en neige à cette préparation.

Beurrer un moule à soufflé et le remplir de cette pâte jusqu'aux 3/4 de sa hauteur.

Mettre au four en position assez basse pour que la surface ne croûte pas trop rapidement.

Laisser cuire 20 minutes.

Servir aussitôt.

1 kg de pommes de terre
à chair jaune et ferme,
1 poignée de gros sel,
1 saucisson de Lyon
pistaché,
1 dl de vin blanc sec
(Mâcon),
2 échalotes grises,
1 cuillerée à soupe
de vinaigre de vin blanc,
2 cuillerées
à soupe de moutarde,
3 cuillerées à soupe
d'huile d'arachide,
5 brins de cerfeuil,
2 brins de persil plat,
sel, poivre du moulin.

*Temps de cuisson
du saucisson
30 min*

# Salade de pommes de terre et saucisson pistaché

*La cochonnaille lyonnaise est inépuisable, et dans le domaine des saucisses et saucissons nous sommes assez bons... Un de mes préférés reste évidemment le saucisson pistaché, que l'on cuira sans le piquer et sans le faire bouillir. On peut le manger comme ici, coupé en rondelles et accompagné d'une salade de pommes de terre cuites dans leur peau, ou tout simplement «à la lyonnaise», c'est-à-dire avec pommes vapeur, ou à l'anglaise, et un bon morceau de beurre frais pour donner encore plus de moelleux à l'ensemble.*

Mettre le saucisson dans une casserole, le recouvrir largement d'eau froide. Faire chauffer jusqu'à frémissement et faire cuire sans laisser bouillir 30 minutes, retirer la casserole du feu et y laisser le saucisson encore 5 minutes.

Laver les pommes de terre, les faire cuire avec leur peau en démarrant à l'eau froide avec une poignée de gros sel. Les laisser cuire environ 20 minutes. Vérifier la cuisson.

Les éplucher et les couper chaudes en rondelles. Toujours chaudes, les arroser de vin blanc.

Préparer la vinaigrette avec moutarde, vinaigre, sel, poivre et huile.

Arroser les pommes de terre avec la vinaigrette.

Eplucher et hacher finement les échalotes. Effeuiller le cerfeuil et le persil. Hacher ce dernier.

Détailler le saucisson en rondelles épaisses.

Disposer les pommes de terre et le saucisson en rondelles (encore chaud), sur un plat.

Saupoudrer d'échalotes, de persil et de cerfeuil hachés.

# Tartiflette

*Le nom est local et désigne en Haute-Savoie un plat de pommes de terre (au XVIII<sup>e</sup> siècle elles s'appelaient aussi tartoufles) sur lequel on a déposé un demi reblochon d'alpage et que l'on a passé au four. La tartiflette de la région d'Annecy est à elle seule un repas et ne laisse pas sur sa faim.*

Laver les pommes de terre, les mettre dans une casserole, les recouvrir largement d'eau froide, ajouter une poignée de gros sel. Les faire cuire 20 minutes en les maintenant légèrement «al dente». Les éplucher, les couper en grosses rondelles.

Éplucher les oignons, les émincer.

Détailler la poitrine fumée en lardons. Les blanchir 1 minute à l'eau bouillante, les égoutter, les sécher.

Faire chauffer le beurre dans une cocotte, y faire revenir les lardons et les oignons.

Ajouter les pommes de terre et laisser mijoter 15 minutes.

Mouiller avec le vin blanc.

Verser cette préparation dans un plat à gratin beurré.

Couper le reblochon en deux dans l'épaisseur, et poser les deux moitiés sur le dessus du plat, croûte en dessous.

Recouvrir d'un papier d'aluminium.

Mettre au four de 170° à 180° (th 6) pendant 30 minutes.

Servir en plat unique avec une salade verte.

POUR 6 PERSONNES

1 reblochon crémeux,
500 g de pommes de terre
(BF15),
200 g d'oignons,
300 g de poitrine fumée
ou 1 grosse tranche
de jambon fumé,
1 verre d'Apremont
(vin blanc de Savoie),
15 g de beurre,
1 poignée de gros sel,
sel, poivre.

*Temps de cuisson
1 h 10 min*

POUR 8 À 10 PERSONNES

1 chapon de Bresse de
3,5 kg effilé (c'est-à-dire
avec foie et gésiers
à l'intérieur),
1 belle truffe brossée,
1 cuillerée à soupe
d'huile d'olive,
sel, poivre.

Garniture :
2 kg de marrons,
1,5 litre de bouillon
de volaille,
2 branches de céleri
avec les feuilles,
50 g de beurre,
5 brins de cerfeuil.

*Temps de cuisson
du chapon
2 h 35 min*

Un vrai plat de Noël. A cette époque, le chapon de Bresse vient d'arriver et les marrons sont là. Le chapon, pour ceux qui ne le sauraient pas encore, c'est un jeune coq castré et élevé comme un «coq en pâte», ou plutôt en cage. Rien ne doit le fatiguer, il se contente de manger. Inutile de dire que pour moi les meilleurs chapons sont de Bresse, au même titre que les «poulardes fines» dont parlait déjà Brillat-Savarin. Leur chair dense et fondante ne ressemble à aucune autre ; et, si l'on peut, la meilleure méthode de cuisson reste la broche des cheminées ou, plus simplement, celle du four.

Allumer le four à 160° environ (th 5/6).

Saler et poivrer l'intérieur du chapon.

Y mettre la truffe, brider la volaille.

Masser le chapon avec l'huile d'olive, puis le saler et le poivrer (poivre du moulin), en répartissant bien l'assaisonnement.

31

Poser la volaille dans la lèchefrite et la mettre au four environ 2 heures 30.

Durant la cuisson, arroser le chapon avec la graisse rendue par la volaille.

Pendant ce temps, préparer les marrons.

Inciser peu profondément les marrons, côté bombé.

Les mettre à l'eau bouillante salée, quelques minutes.

Les éplucher pendant qu'ils sont encore chauds, de manière à ôter l'écorce et la peau blanche.

Faire fondre le beurre dans une sauteuse.

Ajouter les marrons, les tourner avec une cuillère en bois pour qu'ils s'enrobent d'une pellicule de beurre.

Placer les branches de céleri au milieu.

Verser le bouillon par-dessus.

Couvrir et laisser cuire sans les remuer, à petits bouillons, pendant 20 minutes.

Egoutter les marrons et les mettre autour du chapon 5 minutes avant la fin de la cuisson.

La cuisson terminée, disposer les marrons dans un légumier et les saupoudrer du cerfeuil ciselé. Sortir le chapon du four.

Couper la truffe en fines rondelles et foie et gésiers en petits dés.

Les ajouter aux marrons.

Découper le chapon et le dresser sur un grand plat de service chaud.

Déglacer la lèchefrite. Verser la sauce en saucière.

N.B. On peut utiliser également des marrons surgelés ou sous-vide.

*«Traditionnellement on mange le chapon à Noël, mais la recette que je vous donne peut également être faite avec une volaille de Bresse.»*

1 coq de Bresse
d'environ 3 kg, vidé
et coupé en 10 morceaux,
2 l de vin rouge
de Bourgogne,
1 oignon,
2 carottes,
2 brins de thym,
1/2 feuille de laurier,
3 gousses d'ail,
3 cuillerées à soupe
d'huile d'arachide,
1 cuillerée à café de sel.

Garniture :
250 g de lard
de poitrine,
250 g de champignons
de Paris,
100 g de petits oignons,
10 brins de persil,
30 g de beurre.

*Temps de cuisson
pour le coq
de 1 à 2 heures selon l'âge*

# Coq au vin

*C'était un dur à cuire ; il avait donc besoin d'une cuisson lente, en milieu bien mouillé, pour qu'il s'attendrisse et ne se dessèche pas. Il faut dire que dans la Bourgogne d'hier, il faisait ses trois bons kilos au moins et qu'il avait rempli de multiples et bons offices, bien couru la poulette, avant de passer à la casserole. Aujourd'hui les coqs que l'on trouve au marché sous la dénomination déjà toute faite de «coq au vin» (à cuire au vin) ne sont plus aussi musclés et nécessitent sans doute une cuisson moins longue. Mais le vin nécessaire à la préparation sera évidemment et toujours de Bourgogne, qu'il s'agisse d'un passetoutgrain ou d'un chambertin.*

(A commencer la veille).

Mettre les morceaux de coq dans un saladier.

Eplucher et couper carottes et oignon en fines rondelles. Les ajouter dans le saladier.

Ajouter le thym, le laurier et les grains de poivre.

Verser le vin sur le coq et couvrir le saladier. Mettre au réfrigérateur toute la nuit.

Le lendemain : égoutter et sécher les morceaux de coq et les légumes.

Filtrer la marinade.

Faire chauffer l'huile dans une grande poêle. Y faire dorer les morceaux de coq en plusieurs fois.

Les mettre au fur et à mesure dans une grande cocotte.

Faire également revenir les légumes, les ajouter dans la cocotte ainsi que les gousses d'ail écrasées.

Mouiller avec la marinade.

Saler.

Mélanger, porter à ébullition, puis couvrir.

Laisser mijoter à tout petit feu de 1 heure à 2 heures selon l'âge du coq.

Eplucher les petits oignons et les champignons.

Couper la poitrine débarrassée de la couenne en bâtonnets. Faire dorer les lardons, les oignons et les champignons à la poêle dans le beurre, les laisser cuire 8 minutes et les ajouter à la dernière minute dans la cocotte.

Rectifier l'assaisonnement et parsemer du persil haché.

# Poularde aux écrevisses

POUR 6 PERSONNES

1 poularde de Bresse
coupée en morceaux,
24 écrevisses pattes rouges,
60 g de beurre,
2 dl de vin blanc
sec (Mâcon),
2 dl de bouillon de volaille,
2 échalotes,
2 tomates,
2 cuillerées à soupe d'huile,
sel, poivre.

*Temps de cuisson
1 heure*

Parler de recettes traditionnelles et régionales ne va pas sans quelque nostalgie. Ah ! les pêches aux écrevisses de mon enfance !

*Est-ce la grande cuisine de ces trois derniers siècles qui en a épuisé l'espèce en les mettant à toutes les sauces, en bisque, en boudin et en buisson ? Ou l'appauvrissement des rivières et des cours d'eau, la pollution, et le braconnage sans limites ? Il faut au moins cinq ans à une écrevisse pour atteindre sa taille. Plus qu'il ne faut en tout cas à la poularde qui les accompagne dans la recette typiquement bourguignonne qui suit.*

*N.B. L'espèce utilisée ici est la meilleure : la patte rouge, mais lorsque je n'en trouve pas il m'arrive de la remplacer par un petit homard, cuit, décortiqué et coupé en rondelles. Le corail servira alors à lier la sauce et le poulet aux écrevisses deviendra poulet au homard.*

Eplucher les échalotes, les hacher.

Faire chauffer l'huile dans une cocotte, y faire fondre les échalotes. Les retirer, les réserver.

Mettre les morceaux de poularde en plusieurs fois et les faire dorer de tous les côtés. Remettre les échalotes, saler et poivrer et laisser cuire 10 minutes.

Retirer les morceaux de poularde, les réserver au chaud.

Jeter les écrevisses dans la cocotte à feu vif en les remuant avec une cuillère en bois. Couvrir et les laisser cuire 5 minutes.

Les retirer, mettre les morceaux de poularde, mouiller avec le vin blanc, donner un bouillon.

Ajouter les tomates pelées et épépinées. Laisser légèrement réduire. Mouiller avec le bouillon bouillant et continuer la cuisson à feu moyen 25 minutes.

Retirer les morceaux de poularde, les réserver au chaud.

Séparer les têtes des queues des écrevisses. Vider les coffres dans la cocotte. Poser sur feu moyen 3 minutes.

Passer cette sauce à travers un chinois. Lui incorporer le beurre en morceaux en fouettant.

Décortiquer les queues d'écrevisses.

Mettre les morceaux de poularde dans un plat de service creux et chaud, avec les queues d'écrevisses.

Napper avec la sauce.

# Poulet de Bresse au vinaigre

*On prendra naturellement, ici, un poulet de Bresse. Cette seule indication suffirait déjà à faire de cette préparation un plat typiquement du coin. Reste le vinaigre, dont les Lyonnais aiment ajouter un trait final à beaucoup de leurs spécialités. Le poulet au vinaigre est vraisemblablement un dérivé d'une recette moyenâgeuse qui se faisait au verjus (jus de raisins pas encore mûrs). Le résultat dépend également du goût du vinaigre employé. Mais dans ce pays de vignes et de bons vins il serait impardonnable d'en utiliser un qui ne soit de toute première qualité.*

Faire chauffer une grande cocotte avec un mélange beurre et huile. Y faire dorer les morceaux de poulet de tous les côtés.

Saler, poivrer. Ajouter les gousses d'ail, non épluchées, mélanger.

Verser le vinaigre dans la cocotte, donner un bouillon.

Ajouter les tomates pelées et épépinées. Couvrir et laisser cuire à feu moyen 25 minutes.

Retirer les morceaux de poulet, les réserver au chaud.

Verser le bouillon dans la cocotte, en grattant bien le fond. Laisser réduire à feu vif environ du tiers.

Passer cette sauce à travers un chinois en pressant bien les gousses d'ail. Lui incorporer au fouet le beurre en morceaux, puis la crème.

Dresser les morceaux de poulet gardés au chaud sur un plat de service.

Napper chacun avec la sauce.

Décorer de cerfeuil.

POUR 4 PERSONNES

1 beau poulet (1,500 kg) coupé en 8 morceaux par le volailler,
25 cl de vinaigre de vin,
100 g de beurre,
1 grosse cuillerée à soupe de crème fraîche,
6 gousses d'ail,
2 tomates,
1/2 litre de bouillon de volaille,
sel, poivre,
huile,
quelques brins de cerfeuil.

*Temps de cuisson
40 min*

38

POUR 6 PERSONNES

1,2 kg de bœuf à braiser
(paleron par exemple),
1 kg d'oignons jaunes,
1/2 verre d'huile,
1 verre de vinaigre
de vin vieux,
1 litre de vin
de côtes-du-rhône,
sel et poivre du moulin.

*Temps de cuisson
3 heures*

*La grillade marinière que j'ai appris à faire et à aimer lorsque j'étais chez Fernand Point, à Vienne, est issue d'une recette traditionnelle des mariniers qui empruntaient le Rhône. Comme chacun sait (ou pas), tous les «navigateurs» aiment se mettre à table et y passent même un certain temps. Ils ne savent, en revanche, pas très bien à quelle heure ils pourront le faire. La cuisine qui les attend ou qu'ils préparent eux-mêmes est donc essentiellement «mijotée». La recette qui suit peut encore cuire un peu plus. Ça n'est pas très important.*

Couper le paleron en tranches assez fines.

Eplucher et émincer finement les oignons.

Dans le fond de la cocotte verser l'huile et disposer une couche d'oignons. Recouvrir avec les tranches de paleron, puis avec les oignons. Recommencer plusieurs fois. Terminer par les oignons.

Saler et poivrer. Mouiller avec le vinaigre et le vin. Couvrir la cocotte.

Faire cuire à feu doux pendant 3 heures au moins.

Servir à même la cocotte avec une purée de pommes de terre ou des coquillettes.

# Bœuf
# à la ficelle

*Il suffira d'un bouillon, d'un bon morceau de filet de bœuf et d'une ficelle. Mise au point par ceux qui n'aiment pas le côté «cuit-cuit» du pot-au-feu, c'est là une recette qui s'apparente aux fondues exotiques où chaque convive trempe les ingrédients à sa disposition dans un bouillon frémissant. A cette différence près que le bœuf à la ficelle se prépare en cuisine et arrive tout découpé et rouge rosé sur la table. Une merveille de saveur. A ne pas confondre avec le gigot à la ficelle inventé (peut-être) par Alexandre Dumas et que l'on retrouve dans certains restaurants de Savoie, pendu dans la cheminée et cuisant lentement au bout de sa cordelette en tournant sur lui-même.*

Eplucher les haricots verts, les carottes, les pommes de terre, le céleri boule et les poireaux.

Tailler carottes et céleri en bâtonnets.

Laver les poireaux et ne garder que les blancs.

Faire cuire les pommes de terre à part à l'eau salée.

Ficeler bien le rôti, en laissant aux deux extrémités une bonne longueur libre.

Mettre le bouillon dans une grande casserole (la viande doit être complètement immergée), porter à ébullition.

Plonger les carottes et le céleri dans le bouillon, laisser cuire 5 minutes.

Ajouter les poireaux et les haricots verts et laisser cuire 5 minutes après la reprise de l'ébullition. Vérifier l'assaisonnement.

Pendant le même temps, attacher les 2 extrémités de la ficelle sur une cuillère en bois à grand manche. La poser à cheval sur la casserole, en vérifiant que la viande ne touche pas le fond. Le bouillon doit être en pleine ébullition pour que la viande soit saisie.

Laisser cuire la viande de 10 à 15 minutes par livre.

Sortir la viande et les légumes du bouillon.

Déficeler, puis couper la viande en tranches. Les disposer sur un plat chaud, entourées des légumes.

Servir immédiatement, accompagné des condiments.

POUR 5 PERSONNES

1 kg de bœuf à rôtir,
très tendre
(filet ou rumsteack),
2 litres de très bon bouillon
de légumes bien corsé,
400 g de haricots verts,
400 g de carottes,
5 poireaux,
5 pommes de terre roseval,
1/4 de céleri boule.

Accompagnements :
raifort,
gros sel,
moutarde, etc.

Matériel : ficelle fine.

*Temps de cuisson
20 min environ*

1,500 kg de gîte à la noix,
5 oignons,
3 carottes,
1 gousse d'ail,
1 bouquet garni,
30 petits oignons grelots,
200 g de lard,
1 bouteille de bourgogne
rouge générique,
5 cl de marc de Bourgogne,
sel, poivre,
1 morceau de sucre,
beurre, huile.

*Temps de cuisson
2 h 40 min*

# Bœuf bourguignon

*Voilà l'exemple type d'un de ces raccourcis dont la langue culinaire est coutumière. Il y en a d'autres. On comprendra que ce n'est pas le bœuf qui est bourguignon, comme on est ardéchois ou breton, c'est sa préparation. «A la bourguignonne» serait d'ailleurs plus exact. Cet apprêt particulier à la grande région vinicole qu'est la Bourgogne, comprend vin rouge, oignons, champignons et lardons.*

Couper la viande en gros cubes (2 cm environ). Les mettre dans un saladier, les couvrir avec le vin.

Ajouter le marc, le bouquet garni, quelques grains de poivre, un filet d'huile. Laisser mariner 2 heures.

Eplucher les gros oignons et les carottes, les émincer.

Retirer la couenne du lard, le couper en lardons, les blanchir quelques secondes à l'eau bouillante. Les essuyer.

Egoutter les morceaux de viande, les essuyer soigneusement.

Faire chauffer un mélange huile et beurre dans une cocotte. Y faire revenir les lardons, les retirer lorsqu'ils sont dorés.

Mettre les cubes de viande à la place, les faire dorer de tous les côtés, saler, poivrer. Les retirer.

Faire revenir les carottes et les oignons.

Remettre dans la cocotte les cubes de viande et les lardons.

Verser la marinade, avec le bouquet garni. Porter à ébullition, ajouter la gousse d'ail non épluchée, légèrement écrasée.

Couvrir et laisser mijoter à feu doux 2 h 30.

Eplucher les oignons grelots, les faire revenir à la poêle dans du beurre sans qu'ils prennent couleur.

En fin de cuisson, retirer les morceaux de viande et les lardons.

Passer la sauce à travers un chinois, ajouter le sucre.

Mixer les oignons et les carottes en ajoutant la sauce.

La remettre dans la cocotte avec lardons et viande.

Ajouter les petits oignons.

Accompagner de pommes de terre cuites à la vapeur et éventuellement de croûtons frits.

# Poitrine de veau farcie

*La première farce ne date pas d'hier. Et lorsque le mot apparaît chez nous au XIIᵉ siècle, il correspond déjà à une volonté de préparation élaborée, à un désir de surprendre, de faire en sorte que ce qui arrive sur la table soit autre chose que ce que l'on voit, à la fois plus riche et plus prometteur. La poitrine de veau farcie est un morceau de choix en pays bourguignon (comme l'épaule d'ailleurs). Servie chaude ou froide, coupée en tranches fines et accompagnée d'une bonne salade du jardin, elle réconcilie le travailleur des champs avec le mal qu'il s'est donné et nous-mêmes avec le reste.*

La farce : éplucher et émincer les oignons.

Laver, sécher et hacher les feuilles de blettes.

Faire chauffer le beurre dans une poêle, y faire fondre les oignons et les laisser blondir. Ajouter les blettes et les laisser «tomber» en remuant à l'aide d'une cuillère en bois. Retirer du feu. Laisser refroidir.

Equeuter et hacher le persil. Eplucher et hacher la gousse d'ail.

Mettre dans un saladier la chair de veau, la chair à saucisse, le persil haché, la fondue de blettes et d'oignons. Mélanger bien à la fourchette.

Battre la crème fraîche avec un œuf entier et un jaune. L'incorporer au mélange précédent ainsi que sel, poivre et thym.

Travailler bien ce mélange afin d'obtenir une farce fine et homogène. Garnir la poche de la poitrine avec cette farce.

Coudre l'ouverture avec la ficelle fine.

Enduire un plat creux allant au four de saindoux. Poser la couenne blanchie au fond du plat.

Recouvrir des oignons et des carottes épluchées et coupées en rondelles. Ajouter le bouquet garni.

Poser l'épaule sur ces éléments. Saler et poivrer. L'arroser de saindoux fondu.

Mettre à four chaud, et faire dorer la poitrine de tous côtés en l'arrosant de temps en temps avec le bouillon.

Couvrir d'un papier sulfurisé beurré et baisser la température du four.

Laisser cuire 2 heures en veillant à ce qu'il y ait toujours du bouillon au fond du plat.

POUR 6 PERSONNES

1 poitrine de veau désossée
(1,500 kg environ),
y faire ouvrir une poche
par le boucher,
100 g de chair à saucisse,
200 g de chair
de veau hachée,
200 g de vert de blettes
(5 grandes feuilles),
100 g d'oignons,
1 bouquet de persil plat,
1 pincée de thym,
1 gousse d'ail,
2 œufs,
2 cuillerées à soupe
de crème,
50 g de beurre,
sel, poivre.

Pour la cuisson :
1/2 litre de bouillon,
3 oignons,
5 carottes,
1 couenne,
50 g de saindoux,
1 bouquet garni,
sel, poivre.

Matériel :
1 aiguille à brider,
ficelle fine,
papier sulfurisé.

*Temps de cuisson
2 h 15 min*

Retirer la viande et la découper en tranches. La poser sur un plat de service chaud.

Déglacer le plat de cuisson et verser la sauce en saucière.

Accompagner de pommes de terre sautées à cru ou d'un gratin de côtes de blettes.

# Pot-au-feu

*Photo p. 46-47*

La première cuisinière qui mit le «pot au feu» ne savait pas ce qu'elle faisait. Ni que toutes les provinces ou presque en réclameraient la paternité. Cette potée si particulière est de partout et de nulle part ; mais chacun garde en lui le souvenir d'un pot-au-feu qui ne ressemblait à aucun autre. Mon pot-au-feu à la jambe de bois par exemple (dont je ne vous donnerai pas la recette ici parce qu'il est plus fait pour une troupe d'affamés que pour une famille normale même au complet), me donne le droit d'inscrire une des plus simples et plus belles créations de la cuisine française au nombre des plats typiquement lyonnais. Dont acte !

Dans le pot-au-feu à la jambe de bois, il entre un jarret de bœuf, trois jarrets de veau, une épaule de cochon, dinde, perdrix, gigot, poulets et cervelas truffés... A vous de décider.

Mettre le plat de côtes dans un grand fait-tout, le recouvrir largement d'eau froide (5 litres), porter à ébullition sur feu moyen et laisser cuire 1 heure. Retirer, au fur et à mesure, l'écume à la surface du liquide.

Eplucher les carottes, oignons et ail pour la cuisson.

Piquer les oignons des clous de girofle.

Ficeler thym et laurier d'une part et branche de céleri et persil d'autre part.

Après la première heure de cuisson, ajouter ces éléments dans le fait-tout ainsi que le plat de côtes .

Attendre la reprise de l'ébullition et ajouter une poignée de gros sel et les grains de poivre, puis le gîte, la culotte et la queue de bœuf. Laisser cuire à petits frémissements pendant 3 heures.

Eplucher et laver les légumes de garniture.

Lier les poireaux en petites bottes.

Lorsque le pot-au-feu a cuit (4 heures en tout), retirer les viandes et filtrer le bouillon de cuisson et le remettre dans le fait-tout nettoyé.

Remettre les viandes, porter à nouveau à ébullition et laisser frémir 30 minutes.

Ajouter les carottes, navets, céleri et panais.

10 minutes après la reprise de l'ébullition, ajouter les poireaux et laisser cuire encore 20 minutes.

POUR 8 PERSONNES

1 kg de gîte de bœuf,
ficelé comme un rôti,
800 g de plat de côtes,
800 g de culotte de bœuf
lardée et ficelée,
1 queue de bœuf
tronçonnée et ficelée,
8 gros tronçons
d'os à moelle,
1 kg de jeunes carottes,
8 navets,
2 panais moyens,
1,5 kg de petits poireaux,
1 petite boule
de céleri rave,
8 pommes de terre.

Pour la cuisson :
2 carottes,
2 oignons,
3 clous de girofle,
1 brin de thym,
4 gousses d'ail,
1/2 bouquet de persil,
1 branche de céleri,
1 feuille de laurier,
gros sel,
15 grains de poivre.

*Temps de cuisson
4 h 30 min*

Faire cuire les pommes de terre à part 20 à 30 minutes à l'eau bouillante salée.

15 minutes avant de servir le pot-au-feu, appliquer du gros sel à chaque extrémité des os à moelle, les enfermer dans une mousseline.

Prélever 1/2 litre de bouillon, le verser dans une casserole, porter à ébullition et y faire pocher les os à moelle 10 minutes à petits frémissements.

Sortir les viandes et les légumes, les garder au chaud.

Dégraisser le bouillon.

Présenter les viandes coupées en tranches sur un plat de service chaud, entourées des légumes et des os à moelle.

Servir le bouillon et les condiments (cornichons, gros sel, cerises au vinaigre) à part.

Une manière simple de dégraisser le bouillon si on l'utilise le lendemain est de le mettre au réfrigérateur. La graisse s'enlève d'un bloc.

*«Tendre et sucré,
le panais était un peu
délaissé ces derniers temps.
Il redevient à la mode,
et tout bon pot-au-feu
des familles le préfère
même au navet.»*

# Hachis Parmentier

*S'il est souvent difficile de dater les recettes, en voici une, le hachis Parmentier, dont à coup sûr l'invention n'est pas antérieure à la Révolution française. Antoine-Augustin Parmentier, l'ardent défenseur et propagateur de ce tubercule jusque-là suspect, trouve ainsi son nom lié à l'un des plats de ménage les plus fameux du patrimoine français. Une des excellentes raisons en tout cas de faire des pot-au-feu capables de couvrir les besoins de deux repas au moins. Le second pouvant fort bien consister en la préparation du hachis, enfermé entre deux couches de purée de pommes de terre et doucement gratiné.*

Eplucher les pommes de terre, les faire cuire à la vapeur, ou à l'eau.

Faire bouillir le lait.

Mettre les pommes de terre dans un saladier, les écraser en purée en leur incorporant le lait bouillant et le beurre en petits morceaux.

Bien la fouetter, lui ajouter sel, poivre, muscade et l'ail pressé. Eplucher et émincer les oignons et l'ail.

Les faire fondre à la poêle dans le beurre.

Effeuiller et hacher le persil.

Hacher le bœuf. Le mélanger aux oignons fondus et au persil haché. Ajouter la pincée de poudre de thym, sel, poivre.

Beurrer un plat à gratin.

Allumer le four à 210° (th 7).

Disposer une couche de purée au fond du plat, la recouvrir par une couche de hachis.

Continuer en alternant jusqu'en haut du plat. Finir par une couche de purée.

Saupoudrer de gruyère râpé et parsemer de noisettes de beurre.

Faire cuire 20 minutes environ. Le hachis doit être chaud et bien doré.

Servir avec une salade verte.

POUR 6 PERSONNES

Pour le hachis :
700 g de bœuf bouilli
(restes de pot-au-feu),
2 gros oignons,
1 gousse d'ail,
10 brins de persil,
1 pincée de thym
en poudre,
40 g de beurre.

Pour la purée :
2 kg de pommes de terre
à chair jaune, farineuse,
1 petite gousse d'ail,
2 dl de lait,
150 g de beurre,
1 pincée de muscade râpée,
50 g de gruyère râpé,
sel, poivre.

*Temps de cuisson
20 min + 20 min*

800 g d'échine
de porc demi-sel,
500 g de travers
de porc demi-sel,
1 petit jarret
de porc demi-sel,
1 saucisson à cuire
(400 g environ),
150 g de lard
de poitrine fumé,
750 g de lentilles
vertes du Puy,
1 oignon piqué
d'un clou de girofle,
2 carottes,
2 gousses d'ail,
1 branche de céleri,
2 brins de thym,
1 feuille de laurier,
4 brins de persil plat,
1 cuillerée à soupe
de saindoux,
grains de poivre,
sel.

*Temps de cuisson
2 h 30 min*

*Les Romains déjà avaient découvert la conservation par le sel. La salaison aujourd'hui ne s'impose plus vraiment pour faire face à d'éventuelles disettes mais reste une pratique courante en milieu rural. Chaque fois qu'un cochon est sacrifié, certains morceaux vont au saloir qui peut remplacer encore, dans certains cas, l'envahissant congélateur. Le petit salé (longe, échine, jambonneau etc.) vendu sous l'étiquette demi-sel, doit impérativement être dessalé avant préparation. Son passage dans le sel l'ayant attendri, il demande en général moins de temps de cuisson qu'un morceau de porc normal. Il entre de façon courante dans la tradition des potées comme en Auvergne, ou des plats qui tiennent bien au corps comme celui-ci où la lentille verte du Puy (la seule à bénéficier d'une appellation d'origine) est indispensable.*

*Photo p. 50-51*

Faire tremper l'échine, le travers et le jarret, 30 minutes dans de l'eau froide. Rincer les viandes.

Les mettre dans une grande marmite, les couvrir d'eau froide juste à ras. Faire chauffer et les laisser frémir 1 heure à partir de l'ébullition.

Rincer les lentilles, les mettre dans une casserole, les couvrir largement d'eau froide, non salée, amener à ébullition et les laisser frémir 10 minutes.

Egoutter les lentilles, les ajouter aux viandes qui ont déjà cuit 1 heure. Mettre les gousses d'ail non épluchées, l'oignon piqué du clou de girofle, les carottes épluchées et coupées en rondelles.

Ficeler ensemble le thym, le laurier, la branche de céleri et les brins de persil, ajouter ce bouquet dans la marmite ainsi que quelques grains de poivre.

Laisser frémir 1 h 30.

40 minutes avant la fin de la cuisson ajouter le saucisson préalablement piqué.

10 minutes après, couper le lard fumé en petits dés (après lui avoir ôté la couenne). Le faire rissoler dans le saindoux et l'ajouter aux lentilles.

En fin de cuisson, enlever l'oignon, l'ail et le bouquet garni. Rectifier l'assaisonnement en sel si nécessaire.

Sortir les viandes, les découper ainsi que le saucisson. Les disposer dans un plat creux, chaud, avec les lentilles.

# Chou farci

*Photo p. 54-55*

POUR 8 PERSONNES

1 chou vert,
350 g d'épaule
de veau désossée,
350 g d'échine de porc,
350 g de lard de
poitrine fumée,
1 crépine,
200 g de mie de pain
de campagne rassis,
15 cl de lait,
4 carottes,
3 navets,
5 oignons,
2 tablettes de bouillon
de volaille,
40 g de beurre,
2 cuillerées à soupe
d'huile d'arachide,
1 bouquet de persil plat,
1 cuillerée à café
de 4 épices,
2 œufs,
gros sel, sel fin, poivre.

*Temps de cuisson
2 h 5 min*

En France, c'est le chou qui manque le moins. Difficile donc de dire que le chou farci est plus d'ici que d'ailleurs. Il est, c'est sûr, tout à fait français et paysan. Pour bien le réussir, il vous faudra le choisir vert, bien «pommé» et de taille moyenne (il apparaît sur les marchés vers les mois de mars et d'avril). Il vous faudra adopter également une certaine patience, un doigté léger, pour ne pas casser les feuilles... et de la ficelle. Il peut très bien servir de plat unique.

Faire tremper la crépine dans de l'eau froide et la rincer plusieurs fois.

Faire tremper la mie de pain 5 minutes dans le lait, puis la presser entre les mains.

Hacher finement les viandes séparément.

Effeuiller et hacher le persil.

Eplucher et émincer 2 oignons, les faire fondre à la poêle dans 15 g de beurre.

Mettre les viandes dans un saladier avec le persil haché, la mie de pain, et les oignons fondus. Mélanger et incorporer un œuf entier et un jaune, assaisonner en sel, poivre et 4 épices.

Eplucher et couper en petits dés les carottes, les navets et les oignons restants. Les blanchir quelques minutes à l'eau bouillante salée, les passer sous l'eau froide pour les rafraîchir, les égoutter, les sécher.

Eplucher le chou en lui retirant les feuilles externes les plus dures et la base ligneuse. Le laver.

Plonger le chou dans un grand fait-tout suffisamment rempli d'eau bouillante salée pour qu'il baigne de tous côtés, le laisser cuire 10 minutes en le retournant à mi-cuisson.

Le rafraîchir sous l'eau froide, l'égoutter en le mettant tête en bas dans une passoire.

Poser le chou sur le plan de travail, écarter les feuilles délicatement une par une pour arriver au cœur. Le retirer à l'aide d'un couteau pointu.

Façonner les 2/3 de la farce en boule de la même taille que le cœur du chou, la placer au centre.

Rabattre les premières feuilles sur la farce pour bien l'enfermer.

Glisser les dés de légumes et le reste de la farce entre les feuilles du chou.

Rabattre ainsi toutes les feuilles du chou de manière à lui redonner sa forme initiale.

Eponger la crépine, l'étaler sur la table. Placer le chou au milieu et l'enfermer dans la crépine. Ficeler.

Préchauffer le four à 210° (th 7).

Délayer les tablettes de bouillon dans 40 cl d'eau bouillante.

Faire chauffer les 25 g de beurre et l'huile dans une grande cocotte.

Y faire dorer le chou de tous les côtés, puis mouiller avec le bouillon.

Couvrir et enfourner.

Après 30 minutes de cuisson, baisser la température du four à 150° (th 5). Laisser cuire 1 heure 30 encore.

300 g de gros
macaroni longs,
10 cl de crème liquide,
150 g de beaufort,
30 g de parmesan râpé,
20 g de beurre,
sel, poivre.
Une truffe facultative.

Pour la béchamel :
100 g de beurre,
50 g de farine tamisée,
1/2 litre de lait,
1 cuillerée à café de sel,
1 pincée de poivre moulu,
1 pincée de muscade.

*Temps de cuisson
40 min environ*

# Gratin de macaroni

*Les Lyonnais n'ont certes pas inventé les macaroni. On ne peut pas tout faire. Disons qu'il s'agit là d'un héritage des Romains qui fondèrent la ville et de la présence italienne qui en fit au XVI<sup>e</sup> siècle une capitale économique de l'Europe. Ils ont apporté les pâtes, nous en avons fait un gratin. En gros c'est ça. Reconnaissons au passage qu'ils ne nous ont pas pour autant convertis à l'huile d'olive. La crème et le beurre, ici, on y tient.*

Préparer la béchamel : mettre le beurre à fondre dans une casserole, mélanger la farine, ajouter lait, sel, poivre et muscade.

Poser sur feu moyen et mélanger sans arrêt avec le fouet à main jusqu'à l'ébullition.

Donner quelques bouillons, réserver.

Mettre 4 litres d'eau et une poignée de gros sel dans un fait-tout.

Porter à ébullition et y jeter les macaroni.

Les laisser cuire environ 15 à 20 minutes après la reprise de l'ébullition. Surveiller la cuisson car ils doivent rester «al dente». Les égoutter.

Couper le beaufort en gros copeaux.

Ajouter la crème dans la béchamel bouillante ainsi que 100 g de copeaux de beaufort. Mélanger jusqu'à ce que le fromage soit fondu.

Préchauffer le four à 210° (th 7).

Beurrer le plat à gratin.

Tapisser le fond d'une couche de macaroni, recouvrir d'une couche de béchamel, et continuer de monter le gratin en alternant les couches.

Terminer par une couche de béchamel.

Répartir les copeaux de beaufort restants sur le dessus du gratin.

Saupoudrer de parmesan râpé.

Mettre au four et laisser dorer et gratiner 20 minutes.

# Bugnes

*Comme les crêpes ou les gaufres, les beignets sont des friandises de fête, et accompagnent traditionnellement les réjouissances du mardi gras et de la mi-carême. La bugne, dorée, soufflée et tordue en forme de huit, existe depuis le Moyen Age où elle était vendue par les frituriers ambulants comme aujourd'hui les gaufres sur les foires. Il existe également des bugnes arlésiennes et des bugnes bourguignonnes (dont les recettes ne sont guère différentes), mais la plus connue est bien la lyonnaise.*

POUR ENVIRON 100 BUGNES

500 g de farine,
200 g de beurre,
4 œufs,
1/2 paquet
de levure chimique,
1 zeste de citron,
1 cuillerée à soupe de
rhum,
1 pincée de sucre
en poudre,
sucre glace,
2 litres d'huile d'arachide
pour la friteuse.

Matériel :
une roulette cannelée
en buis.

Sortir le beurre à l'avance du réfrigérateur pour qu'il soit mou.

Râper le zeste du citron très finement.

Mélanger la farine et la pincée de sucre dans un saladier. Ajouter la levure, bien mélanger.

Incorporer les œufs un par un.

Ajouter le beurre mou, le zeste de citron râpé et le rhum.

Travailler la pâte du bout des doigts jusqu'à obtention d'une pâte souple.

Mettre l'huile à chauffer dans une friteuse. Surveiller la température qui ne doit pas être trop chaude.

Etaler la pâte très finement.

A l'aide de la roulette cannelée, découper la pâte en rectangles de 10 x 5 cm, ou en triangles de 10 cm de côté ou en rectangles fendus en leur milieu, afin de pouvoir repasser la pâte par la fente comme pour un nœud de cravate. Lorsque l'huile est à bonne température, y plonger les morceaux de pâte par petites quantités.

Dès que les bugnes remontent à la surface et prennent une belle couleur blonde dorée, les sortir et les poser sur du papier absorbant.

Saupoudrer les bugnes de sucre glace.

# Galettes au sucre comme à Pérouges

*La galette est sans doute la plus ancienne manifestation du savoir «pâtissier» français. De la fouace illustrée par Rabelais aux galettes régionales dont la tradition est attachée aux fêtes saisonnières carillonnées ou non, la liste est longue. Un pâtissier de Pérouges a remis à la mode une vieille recette de tarte au beurre et au sucre dont le succès est un peu celui de la ville toute entière, comme celui des pralines à Montargis ou du nougat à Montélimar.*

La pâte : sortir le beurre à l'avance du réfrigérateur, pour qu'il ramollisse.

Emietter la levure dans une cuillerée à soupe d'eau tiède.

Frotter le morceau de sucre sur le zeste du citron.

Mettre la farine dans un saladier, faire un puits et lui incorporer la levure.

Ajouter les œufs entiers un par un, puis le sel et le sucre. Travailler la pâte en l'aérant.

Incorporer les 100 g de beurre en pommade par petites quantités.

Mettre la pâte dans un grand saladier, la couvrir d'un linge et la laisser lever légèrement, 30 minutes à température ambiante.

Rompre la pâte, la retravailler pour la rendre homogène, la diviser en deux et l'étaler en deux disques. Les déposer sur une plaque à pâtisserie recouverte de papier siliconé.

Badigeonner le dessus des galettes avec les 2/3 du beurre de finition. Les saupoudrer de sucre cristallisé. Répartir le beurre restant en noisettes sur le dessus.

Faire cuire les galettes à four chaud à 220° (th 7/8), pendant environ 15 à 18 minutes.

POUR 2 GALETTES DE 5 PERSONNES

500 g de farine,
3 œufs,
100 g de beurre,
20 g de levure de boulanger,
50 g de sucre en poudre,
1 morceau de sucre,
10 g de sel,
un peu d'eau,
1 citron non traité.

Finition :
80 g de sucre cristallisé,
100 g de beurre.

Matériel :
papier siliconé (spécial pâtissier)

*Temps de cuisson 18 min*

300 g de farine,
250 g de miel crémeux
(blanc),
20 g de bicarbonate
de soude,
100 g de sucre en poudre,
50 g de beurre,
3 cuillerées à soupe de lait,
10 g de levure chimique,
1/4 d'anis étoilé,
1 clou de girofle,
1 pincée de cannelle
en poudre,
1 pincée de poudre
de coriandre.

*Temps de cuisson
50 min.*

# Pain d'épices

*Reims resta longtemps la patrie française du pain d'épices et c'est même là que fut fondée la première corporation de «pain d'épiciers» à la fin du XVIe siècle. Friandise de fêtes et de foires elle était pourtant déjà très connue à Dijon depuis le XIVe siècle et c'est la Révolution française qui en fit une des spécialités réputées de la ville. Produit essentiellement industriel aujourd'hui, le pain d'épices entre encore ici et là dans les traditions ménagères à l'occasion de Pâques ou des fêtes de fin d'année.*

Faire chauffer le lait, ajouter le beurre. Mettre le miel dans la casserole, le laisser fondre, ajouter le bicarbonate.

Verser ce mélange sur la farine, mélanger bien afin d'obtenir une pâte homogène.

La mettre en boule, la recouvrir d'un linge et la laisser reposer 1 heure.

Ecraser le clou de girofle et l'anis étoilé pour les réduire en poudre.

Incorporer à la pâte les épices, cannelle, coriandre, anis et clou de girofle.

Ajouter la levure et pétrir la pâte.

Tapisser un moule à cake de papier sulfurisé beurré.

Verser la préparation dans le moule.

Faire cuire à four moyen, 45 minutes.

Badigeonner le dessus du pain d'épices de lait très sucré à l'aide d'un pinceau.

Le remettre quelques instants au four.

Démouler le pain d'épices et le laisser refroidir sur une grille.

# Poires à la beaujolaise

*On choisira les variétés saint-Jean ou passe-crassane. Les premières toutes petites, de forme allongée et à peau très fine, apparaissent dès la fin juin ; les secondes, de forme plus ronde, sont là de novembre à mai. Toutes deux se tiennent très bien à la cuisson. Quant au vin de Beaujolais, ce n'est certes pas lui qui manque. Ce dessert d'une belle couleur rose et transparente est donc présentable toute l'année, qu'on le serve tout juste tiède ou glacé.*

Fendre la gousse de vanille en deux.

Verser le vin dans une casserole assez grande pour pouvoir contenir les poires. Ajouter le sucre, le zeste d'orange, la cannelle, la gousse de vanille.

Enfermer les grains de poivre et le clou de girofle dans une petite gaze et l'ajouter dans la casserole.

Porter à ébullition et laisser bouillir 5 minutes.

Eplucher soigneusement les poires en leur gardant les queues.

Les plonger dans le sirop et les laisser cuire à petits frémissements 20 minutes.

Les laisser refroidir dans le vin.

Pour les servir, les disposer dans un compotier, les arroser du sirop et de la crème de cassis mélangée à froid. Les accompagner de macarons ou de croquants.

POUR 6 PERSONNES

12 petites poires
(de la saint-Jean en saison),
ou 6 belles passe-crassane,
1 bouteille de vin rouge
(Beaujolais, Morgon),
150 g de sucre en poudre,
1 bâton de cannelle,
1 gousse de vanille,
6 grains de poivre,
1 clou de girofle,
1 zeste d'orange
non traitée,
1 verre de crème de cassis
de Dijon.

*Temps de cuisson
30 min*

PROVENCE

Une pointe d'ail, de l'huile d'olive, des fromages frais, le parfum du basilic, la saveur du safran sauvage quand on en trouve encore et des poissons pas trop pressés de rentrer au port... La Provence c'est tout cela. On prend son temps et on prend le temps de dire qu'on le prend. Le bouillon de la bouillabaisse peut bien attendre encore un peu, comme la daube qui embaume les cuisines et n'en finit pas de cuire, comme le grand aïoli qui vous fait rester des heures à table. Tout cela est sans doute un peu trop simple et dans cette région vaste et parfumée on ne saurait s'en tenir à quelques plats. Il y a bien sûr la Provence méditerranéenne et ses poissons de roche, ses petits crabes appelés favouilles, les supions frits ou farcis, les orties de mer et les indispensables rascasses.

Et il y a la Provence de l'intérieur, les truffes du Tricastin, l'agneau de Sisteron, les lapins de garrigue, l'excellent riz de Camargue, les fruits en abondance que l'on confit à Apt et les fromages de chèvre et de brebis qui vont de la brousse au picodon. Citer tous les produits serait fastidieux. Vous en découvrirez quelques-uns dans les pages qui suivent, accommodés de la façon la plus simple qui soit pour le plaisir des saveurs intactes.

66

# Soupe au pistou

*Photo p. 70-71*

C'est une soupe de légumes épaisse et riche dans laquelle on ajoute au dernier moment et hors du feu un mélange d'ail et de basilic, d'huile d'olive et de tomate : le pistou. Le mot est un dérivé du provençal «pistar» qui signifie «broyer» ce qui s'explique parfaitement, le pistou étant traditionnellement préparé dans un mortier.

POUR 6 PERSONNES

250 g de haricots rouges frais (à petites rayures roses),
250 g de haricots blancs frais,
200 g de haricots verts (écheleurs),
6 carottes,
2 pommes de terre moyennes,
2 courgettes,
1 poireau,
1 oignon blanc,

Ecosser tous les haricots en grain et effiler les haricots verts. Laver et éplucher tous les légumes sauf les courgettes, les couper en très petits dés.

Mettre 3 litres d'eau dans un grand fait-tout, ajouter les couennes, porter à ébullition en écumant la surface, saler, poivrer.

Ajouter tous les légumes en dés et les haricots. Laisser mijoter à petit feu pendant 2 heures.

Ajouter les coquillettes, laisser cuire 15 minutes.

100 g de petites coquillettes,
200 g de couennes de porc,
150 g de parmesan,
100 g de gruyère,
sel, poivre.

*Pour le pistou :*
500 g de tomates mûres,
6 gousses d'ail,
10 brins de basilic,
1 verre d'huile d'olive,
sel, poivre.

*Cuisson de la soupe*
*2 h 20 min*

Préparer le pistou pendant la cuisson de la soupe.

Peler et épépiner les tomates, les mettre dans une passoire sur pieds pour leur permettre de rendre leur eau de végétation.

Eplucher les gousses d'ail, les mettre dans un mortier et les piler.

Effeuiller le basilic, le hacher et l'ajouter dans le mortier.

Ajouter quelques dés de pommes de terre cuites prélevés dans la soupe.

Travailler bien tous ces éléments au pilon afin d'obtenir une pâte homogène. Saler, poivrer.

Incorporer l'huile d'olive, petit à petit comme pour une mayonnaise.

Lorsque le mélange est bien pris, ajouter les tomates concassées.

Verser la soupe bouillante dans une soupière.

Y ajouter le pistou et bien mélanger.

Couvrir et attendre 10 minutes avant de la servir accompagnée du parmesan et du gruyère râpés.

# Tapenade

*Le mot vient du provençal «tapeno» qui signifie câpres. Il y a donc dans cette «sauce», des câpres mais aussi des anchois, des olives, du citron et de l'huile d'olive. La tapenade accompagne aussi bien les crudités que les viandes, les poissons et de façon savoureuse de simples pommes de terre cuites à l'eau dans leur peau. C'est également un apprêt facile pour garnir de petits canapés à l'apéritif. La tapenade se conserve deux mois en bocal à condition de la recouvrir d'une bonne couche d'huile d'olive et de la garder dans un endroit frais.*

POUR 6 PERSONNES

250 g de grosses olives noires douces (Nyons),
2 gousses d'ail,
80 g de filets d'anchois à l'huile d'olive,
80 g de câpres,
1 dl d'huile d'olive,
poivre.

Dénoyauter les olives.

Eplucher les gousses d'ail et en ôter le germe si on n'a pas d'ail nouveau.

Mettre les olives, les filets d'anchois, les câpres dans le bol du mixer. Faire tourner jusqu'à obtention d'une pommade.

Incorporer l'huile d'olive petit à petit. Mélanger jusqu'à ce que le mélange soit homogène et crémeux.

Conserver cette tapenade au réfrigérateur recouverte d'une fine couche d'huile d'olive.

Servir sur des tranches de pain de campagne grillées.

POUR 6 PERSONNES

150 g de filets d'anchois
à l'huile d'olive,
1/2 litre d'huile d'olive de
première pression à froid,
3 gousses d'ail,
2 cuillerées à soupe
de vinaigre de vin,
6 brins de persil,
8 brins de basilic,
une pincée de poivre noir.

*Temps de cuisson
15 min*

# Anchoïade

*L'anchois aime la Méditerranée et les Provençaux adorent l'anchois. Tout est bien. L'anchoïade est une purée d'anchois montée à l'huile d'olive. On la sert en accompagnement des crudités ou comme pour les «crostini» italiens, sur des tranches de pain grillées et passées au four.*

Mettre les filets d'anchois dans une casserole avec un filet d'huile. La poser sur feu doux et laisser fondre les anchois pendant 15 minutes.

Les passer au mixer pour les réduire en pâte fine.

Equeuter persil et basilic, les hacher très, très finement.

Eplucher les gousses d'ail.

Verser la pâte d'anchois dans un mortier, ajouter le persil et le basilic hachés, les gousses d'ail passées au presse-ail et le vinaigre. Bien mélanger.

Travailler ce mélange au pilon et lui incorporer l'huile d'olive en filet.

Servir l'anchoïade avec un panier de crudités ou en garnir des demi-tomates. Délicieuse également avec une viande froide et sur du pain grillé.

73

9 grosses tomates ou
18 petites tomates
olivettes,
400 g de petites
fèves fraîches,
6 petits artichauts
poivrade,
2 poivrons verts,
6 petits oignons frais,
1 concombre,
100 g d'olives
noires de Nice,
1 gousse d'ail,
12 filets d'anchois allongés,
4 œufs,
6 brins de basilic,
7 cuillerées à soupe
d'huile d'olive,
sel, poivre.

# Salade niçoise

*En voilà une qui a subi bien des avatars au point de devenir quelquefois une sorte de fourre-tout qui n'a plus de niçois que le nom. Au début on y trouvait tomates, mesclun et oignons blancs. Le tout rehaussé par la saveur forte du filet d'anchois. Selon la saison on pouvait y mettre aussi de petits artichauts coupés en quatre, des fèves tendres et des poivrons. Ah oui, ne pas oublier quelques œufs durs et tièdes et les fameuses petites olives de Nice. Le tout arrosé d'huile d'olive du coin. Aujourd'hui on y voit du thon, des pommes de terre, du riz, et même du maïs. Pourquoi pas de la langouste et des truffes, histoire d'augmenter les prix ? Ça ne sera pas obligatoirement mauvais, mais ça ne sera plus une «niçoise». Tout au plus pouvons-nous accepter quelques haricots verts à condition qu'ils soient juste cuits au dernier moment.*

Faire durcir les œufs, 10 minutes à l'eau bouillante salée. Les passer immédiatement sous l'eau froide pour pouvoir les écaler plus facilement.

Laver, essuyer et couper les tomates en quartiers. Les saler légèrement.

Ecosser les fèves, les plonger 1 minute dans l'eau bouillante, les égoutter, les passer sous l'eau froide pour les rafraîchir et leur ôter la peau.

Eplucher le concombre, le détailler en fines rondelles.

Laver, essuyer, épépiner les poivrons, les couper en lanières.

Eplucher les oignons et les artichauts en ne gardant que les cœurs, les couper en fines lamelles. Couper les filets d'anchois en trois.

Frotter les parois du saladier avec la gousse d'ail coupée en deux.

Couper les œufs durs en quartiers.

Mettre tous les éléments de la salade dans le saladier à l'exception des tomates qui devront être bien égouttées et ressalées légèrement avant d'être ajoutées à la salade.

Effeuiller le basilic, le hacher très finement, le mélanger avec le sel, le poivre et l'huile d'olive.

Verser sur la salade, mélanger délicatement et garder dans un endroit frais avant de servir.

# Fougasse aux grattons

On l'appelle aussi «focaccia» du côté de Menton qui reste, à certains égards culinaires, plus italien que français. Fouaces ou fougasses, un peu partout ailleurs, elles étaient traditionnellement vendues dans la région varoise au moment de Noël. Salées ou sucrées, aux grattons, aux anchois, aux olives ou au sucre, on en trouve aujourd'hui toute l'année. Elles peuvent servir d'entrée ou de dessert et accompagner un plat, comme une galette au lard le ferait en d'autres régions.

POUR 8 PERSONNES

500 g de farine,
200 g de petits grattons
(sorte de lardons confits),
20 g de levure
de boulanger,
10 g de sel,
25 cl d'eau,
1 jaune d'œuf.

*Temps de cuisson
10 min*

Emietter la levure dans l'eau tiède.

Mettre la farine dans une terrine avec le sel.

Faire un puits, y verser la levure diluée dans l'eau.

Rabattre la farine vers le centre.

Travailler ce mélange à la main pendant 1/4 d'heure en refarinant dès que la pâte colle.

Mettre la pâte à lever dans un endroit tiède, à l'abri des courants d'air, sur une surface farinée. Entailler le dessus d'une croix et la laisser gonfler 2 à 3 heures.

Allumer le four à bonne température à 270° (th 9).

Mélanger la pâte aux grattons, en la hachant au couteau, pour bien les incorporer à la pâte.

Remettre la pâte en boule, puis la hacher de nouveau.

Renouveler cette opération 2 ou 3 fois.

Diviser la pâte en deux. Les étaler d'abord au rouleau et ensuite l'étirer à la main sur une épaisseur de 5 mm.

Poser les 2 morceaux sur une tôle légèrement farinée.

Faire sur chaque morceau des entailles en épi. La pâte se rétracte aussitôt et forme de larges lanières.

A l'aide d'un pinceau, dorer les fougasses avec le jaune d'œuf battu.

Mettre à cuire à four vif, 10 minutes environ.

Servir encore tiède avec une salade.

# Pissaladière

*Le nom de cette tarte niçoise vient du mot «pissala», condiment local ancien où entraient thym, laurier, girofle, huile d'olive et purée d'anchois. Il sert aussi à relever poissons et viandes froides. Signalons qu'aujourd'hui encore la capitale de l'anchois au sel ou à l'huile reste Collioure, ravissante cité fortifiée des Pyrénées orientales située à la frontière espagnole.*

Arroser la pâte à pain de 2 cuillerées à soupe d'huile d'olive.

La travailler longuement pour bien y incorporer l'huile.

La rouler en boule et la laisser reposer.

Eplucher et couper les oignons en fines lamelles.

Faire chauffer 3 cuillerées à soupe d'huile d'olive dans une sauteuse.

Ajouter les oignons et les laisser fondre à feu moyen en les remuant. Ils ne doivent pas blondir.

Ajouter le bouquet garni, le sel et le poivre en début de cuisson.

Peler les tomates, les couper en quartiers, les épépiner.

Faire chauffer 1 cuillerée à soupe d'huile d'olive dans une casserole.

Ajouter les tomates, les gousses d'ail écrasées, le sucre. Saler, poivrer. Laisser cuire à petit feu jusqu'à obtenir une compote épaisse.

Allumer le four à 240° (th 8).

Aplatir la pâte à pain à la main pour former une galette de 1 cm d'épaisseur. Rouler le pourtour de façon à former un petit rebord.

Faire glisser la pâte sur une plaque huilée.

Etaler la fondue d'oignons sur le fond de pâte.

Napper avec la compote de tomates. Saupoudrer d'origan en poudre ou de marjolaine.

Disposer les filets d'anchois égouttés en croisillons sur la pissaladière.

Décorer avec les olives.

Mettre à cuire à four bien chaud, 25 à 30 minutes.

Servir chaud ou froid.

POUR 6 PERSONNES

1 kg de pâte à pain
(à commander
chez le boulanger),
1 kg d'oignons doux,
6 tomates bien mûres,
125 g de filets
d'anchois à l'huile,
50 g de petites olives
noires de Nice,
1 bouquet garni,
2 gousses d'ail,
1 cuillerée à café
d'origan en poudre
ou de marjolaine,
1/2 morceau de sucre,
huile d'olive,
sel, poivre.

*Temps de cuisson
40 min*

# Brandade de Nîmes

POUR 4 PERSONNES

800 g de morue salée,
3 dl d'huile d'olive,
2,5 dl de lait,
muscade,
1/2 citron.

Accompagnements :
croûtons frits et lamelles
de truffes (facultatif).

*A commencer la veille*

« *Le cuisinier Durand» (1830) nous donne la véritable recette de la brandade de Nîmes, c'est-à-dire sans ail, alors qu'à Marseille on ne s'en prive pas. Mais il m'étonnerait qu'autour des arènes, on ne la fasse pas aujourd'hui légèrement «alliacée». Certaines cuisinières la préparent encore différemment, aux anchois et à la pomme de terre, sans ail et sans lait. Quoi qu'il en soit, à voir les apprêts de la morue à travers la France, on se dit que pour un poisson traditionnellement réservé aux périodes de carême il n'engendre pas la morosité.*

La veille, faire tremper la morue.

La mettre dans un égouttoir, posé dans une cuvette remplie d'eau, la peau placée au-dessus. Le sel pourra ainsi se déposer au fond. Laisser un filet d'eau froide couler en permanence.

Couper la morue en deux. La mettre dans une casserole, la couvrir d'eau froide.

La porter lentement à ébullition, la laisser frémir quelques minutes en écumant.

Sortir la morue, l'égoutter. Retirer la peau et les arêtes. La réserver au chaud.

Faire chauffer dans deux casseroles séparées l'huile et le lait.

Effeuiller la morue dans un mortier ou dans le bol du mixer.

La réduire en purée.

Lui incorporer en alternance et petit à petit jusqu'à épuisement, l'huile d'olive et le lait chaud.

La brandade ne doit être ni trop liquide, ni trop épaisse.

Sa consistance doit être fine.

Ajouter une pincée de muscade et un trait de jus de citron.

Incorporer les lamelles de truffes, si on en a.

Servir la brandade tiède accompagnée des croûtons.

# Bouillabaisse

*Photo p. 82-83*

Il existe sans doute autant d'authentiques bouillabaisses que de Provençaux et toutes les tentatives faites pour en codifier strictement la recette n'ont eu que peu de succès. Qu'elle reste donc ce qu'elle est : une excellente soupe de pêcheurs plus ou moins riche en poissons selon les jours et safranée selon les goûts. Seul le service en deux temps est immuable : bouillon et poissons sont servis séparément, accompagnés de rouille ou d'aïoli pour certains.

Rincer les poissons pour la soupe, ne pas les écailler.

Éplucher les oignons, les poireaux et l'ail, les laver, les sécher.

Couper les poireaux en grosses rondelles, émincer les oignons.

Faire chauffer l'huile d'olive dans une marmite à fond large.

Y faire revenir les oignons et les poireaux.

Ajouter le persil, le fenouil, les gousses d'ail écrasées, le thym, les tomates lavées et coupées grossièrement, le laurier. Laisser mijoter 10 minutes.

Ajouter les poissons de soupe.

Assaisonner en sel, poivre, ajouter le piment. Laisser cuire 15 minutes en pressant avec une cuillère en bois afin d'obtenir une consistance de pâte.

Verser 3 litres d'eau bouillante, écraser, et laisser bouillir 1 heure.

Retirer les brins de fenouil, thym, laurier, et écorce d'orange.

Passer cette soupe à la moulinette à grosse grille, puis à travers un chinois en pressant bien pour extraire tous les sucs.

Ajouter le safran. Rectifier l'assaisonnement.

Éplucher, laver, sécher et couper les pommes de terre en grosses rondelles.

Mettre les rondelles de pommes de terre au fond de la marmite, recouvrir de la soupe de poissons et mettre sur feu moyen.

Laisser cuire 5 minutes, avant d'y mettre les poissons à pocher selon leur grosseur et la fermeté de leur chair pendant 10 minutes environ : en premier lieu la baudroie, puis dans l'ordre grondins, congre, rascasse, saint-pierre.

POUR 8 À 10 PERSONNES

1,500 kg de poissons de «soupe» (girelles, serrans, têtes et queues de fielas, etc.), 1,500 kg de rascasses moyennes, 1 kg de saint-pierre, 4 vives, 6 tranches de congre (fielas), 3 grondins, 6 tranches de baudroie, 6 favouilles (étrilles), 2 poireaux, 3 oignons moyens, 5 gousses d'ail, 6 tomates, 1 petit piment de cayenne, 6 tiges de fenouil (10 cm), 6 branches de persil plat, 1/2 feuille de laurier, 1 brin de thym, 1 morceau d'écorce d'orange, 2 g de stigmates de safran, 4 cuillerées à soupe d'huile d'olive, sel, poivre.

Pour la rouille :
40 cl d'huile d'olive, 6 gousses d'ail, 1 piment rouge frais, 2 g de safran en poudre.

Accompagnements :
8 à 10 pommes de terre, 1 baguette de pain ou 2.

*Temps de cuisson de la soupe 2 h 10 min*

Faire revenir les favouilles, à la poêle dans de l'huile d'olive.

Couper le pain en rondelles d'1 cm, les faire sécher dans le four, les frotter d'ail.

Préparer la rouille : éplucher les gousses d'ail, les mettre dans le mortier. Ajouter le piment épluché et coupé en morceaux, le sel, le poivre et le safran. Travailler bien au mortier de façon à obtenir une pommade.

Lui incorporer une pomme de terre cuite, puis l'huile d'olive doucement comme pour monter une mayonnaise.

Mettre la soupe de poissons dans une soupière, les poissons sur un plat de service. Ajouter les favouilles.

Servir la rouille dans le mortier et les croûtons à part.

# Petits rougets de roche au pistou

*I*l y a les rougets barbets bretons que l'on fait revenir à la poêle dans un beurre salé qui devient lui-même rouge très rapidement. C'est un très proche cousin du rouget de roche méditerranéen, mais un cousin seulement. Qu'il soit d'ouest ou du sud, la première qualité du rouget réside dans son extrême fraîcheur. Je les prépare ici à la nage accompagnés d'un mélange de basilic pilé et d'huile d'olive.

Eplucher les légumes de la nage, couper carottes et oignons en fines rondelles, émincer le fenouil et le céleri.

Eplucher et écraser les gousses d'ail.

Mettre l'huile d'olive dans une casserole sur feu doux, ajouter l'ail et les différents légumes taillés. Laisser «suer» 10 minutes en remuant constamment.

Verser le pastis, mélanger, laisser s'évaporer 1 minute.

Ajouter le 1/3 du vin blanc et laisser réduire de moitié.

Recommencer l'opération avec le vin blanc en l'ajoutant par tiers.

Ajouter l'eau, le thym, le sel et quelques grains de poivre, laisser cuire 10 minutes.

Laisser refroidir cette nage qui doit devenir presque tiède.

Passer les petits rougets sous l'eau froide, sans les vider. Les sécher.

Mettre la nage dans une casserole à fond large. La porter à frémissements sur feu moyen. Y déposer les petits rougets, les couvrir et les laisser cuire 3 minutes.

Oter du feu, et laisser tiédir dans la nage à découvert.

Effeuiller le basilic. Eplucher la gousse d'ail.

Mettre les feuilles de basilic, l'ail et une pincée de gros sel dans le bol du mixer. Faire tourner, puis incorporer petit à petit l'huile d'olive. Poivrer.

Sortir délicatement les rougets encore tièdes de la nage à l'aide d'une écumoire.

Les déposer dans un plat de service creux.

Les arroser de la sauce au pistou.

POUR 6 PERSONNES

18 petits rougets de roche ou petits
rougets barbets,
1 dl d'huile d'olive vierge,
1 gousse d'ail,
20 feuilles de basilic,
sel, poivre.

Pour la nage :
50 cl de vin blanc sec de Provence,
quelques gouttes de pastis,
30 cl d'eau,
3 carottes moyennes,
5 petits oignons blancs,
1/2 branche de fenouil,
1/2 côte de céleri
en branche,
2 gousses d'ail,
1 brin de thym,
1 pincée de gros sel,
1 cuillerée à soupe et demie d'huile d'olive,
quelques grains de poivre.

*Temps de cuisson
de la nage
30 min
des rougets
3 min*

# Grand aïoli

D'un côté il y a l'aïoli proprement dit, aussi appelé *beurre de Provence* : sorte de mayonnaise fortement aillée que l'on prépare dans un mortier. De l'autre l'aïoli garni, c'est-à-dire proposé en accompagnement de légumes, d'œufs durs, d'escargots et de morue, ainsi que le grand aïoli où entrent d'autres produits de saison, asperges, fenouil ou petits artichauts violets et poissons divers. Tous ces éléments sont cuits au court-bouillon et chacun se sert selon ses préférences. L'aïoli est présenté sur la table, à même le mortier.

La veille : faire dessaler la morue toute la nuit en la mettant dans une passoire à pieds dans une bassine d'eau froide.

Le jour même, éplucher tous les légumes du court-bouillon, piquer l'oignon des clous de girofle.

Mettre tous les éléments du court-bouillon dans un fait-tout, avec l'eau.

Porter lentement à ébullition, écumer et laisser frémir 30 minutes, puis refroidir.

Plonger les escargots dans le court-bouillon froid. Porter à ébullition et laisser frémir 20 minutes.

Faire cuire les œufs 10 minutes à l'eau bouillante de façon à les avoir durs. Les passer immédiatement sous l'eau froide et les écaler.

Eplucher les artichauts, leur couper les tiges à la base du fond ainsi que les 2/3 des feuilles. Les laver, et les faire cuire à l'eau bouillante citronnée et salée, 10 minutes.

Laver le chou-fleur, le détailler en petits bouquets, le faire cuire à l'eau bouillante salée 8 minutes.

Eplucher carottes, pommes de terre, haricots verts et oignons. Ne pas éplucher les courgettes, les laver. Faire cuire ces légumes séparément à l'eau bouillante salée de manière à les garder légèrement «al dente», sauf les pommes de terre.

Rincer largement la morue sous l'eau froide.

Prélever 2 louches de court-bouillon, les verser dans une casserole, la mettre sur le feu et y faire pocher la morue, 8 minutes à petits frémissements.

POUR 6 PERSONNES

1,200 kg de morue séchée,
3 douzaines
d'escargots «petits gris»,
6 œufs,
6 petits artichauts violets,
1 kg de pommes
de terre (roseval)
600 g de petites courgettes,
600 g de haricots verts,
700 g de carottes nouvelles,
1 kg d'oignons blancs,
1 petit chou-fleur (800 g),
1 citron,
sel, poivre.

Pour le court-bouillon :
1,5 l d'eau,
1 poireau,
1 carotte,
1 oignon,
4 gousses d'ail,
1 bouquet garni
(fenouil, branche de céleri,
queues de persil, thym,
feuille de laurier),
2 clous de girofle,
sel, poivre.

Pour la sauce aïoli:
6 gousses d'ail,
1 jaune d'œuf,
4 dl d'huile d'olive,
1/2 jus de citron,
sel, poivre.

*A commencer la veille*

Préparer l'aïoli : éplucher les gousses d'ail, les mettre dans le mortier et les écraser finement au pilon pour les réduire en pommade.

Ajouter le jaune d'œuf et le sel. Incorporer l'huile d'olive en fin filet en tournant sans arrêt à l'aide d'une cuillère en bois. Ajouter le demi-jus de citron.

Disposer la morue, les escargots, les œufs durs coupés en deux dans la longueur, sur un grand plat de service. Les entourer de tous les légumes.

Servir la sauce aïoli dans le mortier.

# Daube de bœuf à la provençale

*Les Provençaux ont tout leur temps. Le soleil tape et la daube cuit tout doucement. Quatre heures (ou six heures), «peuchère», ce n'est rien. Une petite sieste là-dessus et le tour est joué. La daube en fait, c'est un mode de cuisson à l'étouffée et en daubière bien entendu, ce récipient dont le couvercle à l'origine servait à recevoir braises ou eau. On le posait dans l'âtre et c'était chaud dessus, chaud dessous. Lorsque le hussard de Jean Giono entre dans l'auberge dévastée où il n'y a plus âme qui vive, la daube est encore sur le feu, continuant sa cuisson lente comme de tout temps.*

La veille : couper le gîte, le paleron et la joue en gros cubes.

Eplucher les légumes de la marinade. Emincer carottes, céleri, oignon, échalotes. Laisser les gousses d'ail entières.

Mettre les cubes de viande dans un grand saladier avec le vin, le cognac et l'huile, puis ajouter les autres éléments de la marinade.

Laisser mariner au frais 12 heures.

Le jour-même : faire blanchir la couenne et le pied de veau à l'eau bouillante salée 5 minutes. Les rafraîchir sous l'eau froide. Couper le pied de veau en petits dés.

Préparer les légumes de la cuisson : carottes, cœur de céleri et oignons épluchés et coupés en très petits dés, gousses d'ail pelées et écrasées.

Couper la poitrine demi-sel débarrassée de sa couenne en lardons et le lard gras en bâtonnets.

Hacher le demi-bouquet de persil et y rouler les bâtonnets de lard gras.

Egoutter les cubes de viande, les éponger sur du papier absorbant. Filtrer la marinade.

Huiler une poêle, y faire revenir les morceaux de viande à feu vif, saler, poivrer.

Tapisser le fond de la cocotte avec la couenne.

Poser 1/3 de la viande par dessus.

Recouvrir avec 1/3 des légumes en dés, des lardons, des bâtonnets de lard gras, des dés de pied de veau et des tomates en quartiers.

Remplir en couches successives jusqu'à épuisement des ingrédients.

POUR 8 PERSONNES

600 g de gîte,
600 g de paleron,
600 g de joue de bœuf,
1 pied de veau
(dégorgé et désossé),
300 g de poitrine demi-sel,
150 g de lard gras,
1 couenne,
4 carottes,
3 oignons,
1 coeur de céleri en
branche,
3 gousses d'ail,
3 tomates,
le zeste d'une orange
non traitée,
1 bouquet garni (thym,
feuille de laurier, persil,
sarriette),
3 cl d'huile d'olive,
15 g de poivre en grains,
1 pincée de 4 épices,
sel, sucre,
farine.

Pour la marinade :
3 échalotes,
1 oignon,
1 branche de céleri,
2 carottes,
3 gousses d'ail,
1/2 bouquet de persil,
1 brin de sarriette,
2 feuilles de laurier,
1 zeste d'orange
non traitée,
1 bouteille de vin rouge
(gigondas),
10 cl de cognac,
5 cl d'huile d'olive.

Matériel :
une grande cocotte
allant au four ou
une daubière en terre.

*Temps de cuisson
5 h 30 min
A commencer la veille*

Ajouter les aromates de la cuisson (bouquet garni, zeste d'orange, sariette et grains de poivre enfermés dans une mousseline). Mouiller avec la marinade préalablement filtrée.

Préparer une pâte avec de la farine et de l'eau. En faire un long cordon, le poser sur le pourtour de la cocotte, et poser le couvercle du récipient en appuyant.

Verser de l'eau bouillante dans le creux du couvercle.

Enfourner et laisser mijoter la daube 5 h 30 à 120° (th 4). Après 5 heures de cuisson casser la croûte de pâte et ôter le couvercle. Eteindre le four et y remettre la cocotte pour 30 minutes encore.

Servir la daube accompagnée de pâtes fraîches.

# Navarin d'agneau printanier

*Version délicate du navarin de mouton (le vrai), c'est une sorte de ragoût qui fait entrer dans sa garniture tous les nouveaux légumes du printemps. C'est donc le navarin printanier. Il pourrait bien être de toute la France, là où il y a de l'agneau et des navets, mais je l'ai mis en Provence, à cause de l'agneau de Sisteron et des Alpilles, élevé au bon air et parfumé des herbes qu'il broute. Ce plat rustique aurait été baptisé ainsi d'après la victoire de Navarin en Grèce (1827). C'est une des explications avancées en tout cas. Et s'il ne s'appelait navarin qu'en raison des navets qui entrent dans sa préparation ?*

POUR 6 PERSONNES

800 g d'épaule d'agneau coupée en morceaux,
800 g de collier,
800 g de poitrine coupée en morceaux,
2 bottillons d'oignons nouveaux,
2 bottillons de carottes rondes,
2 bottillons de petits navets,
500 g de pois gourmands,
3 tomates,
3 gousses d'ail,
1 bouquet garni,
75 cl de bouillon,
1 cuillerée à soupe de farine,
huile,
sel, poivre.

*Temps de cuisson
1 h 10 min*

Eplucher et écraser les gousses d'ail.

Eplucher, couper et épépiner les tomates.

Faire chauffer 1 cuillerée à soupe d'huile dans une cocotte.

Y faire dorer les morceaux d'agneau par petites quantités et les laisser dorer de tous les côtés. Ajouter les gousses d'ail écrasées.

Jeter les 2/3 de la graisse se trouvant dans la cocotte, remettre tous les morceaux d'agneau. Les saupoudrer de farine en les tournant, laisser «sécher» 1 minute à feu vif.

Ajouter les tomates en morceaux. Saler, poivrer. Mouiller avec le bouillon bouillant. Ajouter le bouquet garni. Porter à ébullition. Couvrir et laisser mijoter à feu doux pendant 30 minutes.

Eplucher les petits oignons, les carottes, les navets et les pois gourmands.

Ajouter carottes, navets, et oignons dans la cocotte au bout des 30 minutes.

Continuer la cuisson encore 30 minutes.

Faire cuire les pois gourmands à l'eau bouillante salée (sans couvrir), 8 minutes. Les égoutter et les ajouter dans la cocotte 3 minutes avant la fin de la cuisson.

Au dernier moment, retirer le bouquet garni.

# Petits farcis

L'une des jolies inventions de la cuisine provençale, c'est l'art de travestir les légumes du jardin ou du marché en utilisant un reste de daube ou de pot-au-feu pour ses farcis à la viande ; du riz, de la mie de pain, des herbes et la pulpe des légumes choisis, pour ses farcis au maigre. Comptez 4 à 5 pièces par personne si vous les servez en plat principal.

Poivrons :

Laver, épépiner 2 poivrons. Les couper en petits dés.

Eplucher et émincer les oignons.

Hacher très finement la poitrine demi-sel.

Faire chauffer de l'huile d'olive dans une cocotte, y faire fondre les oignons. Les retirer, les réserver.

Faire revenir la poitrine dans la même cocotte en l'émiettant à la fourchette. La retirer.

Mettre le riz dans la cocotte, le laisser quelques minutes en le remuant à la cuillère en bois pour enrober tous les grains de gras.

Ajouter les oignons et la poitrine, puis les poivrons en dés et la gousse d'ail hachée.

Mouiller le tout avec l'eau bouillante et laisser cuire à feu moyen, 20 minutes.

Laisser refroidir avant d'incorporer les œufs, le parmesan râpé et le basilic haché. Saler, poivrer.

Laver, essuyer les poivrons. Les évider du côté du pédoncule en en retirant délicatement toutes les graines.

Garnir les poivrons avec la farce. Les déposer dans un plat allant au four préalablement huilé.

Faire cuire les poivrons à four moyen, 30 minutes en les retournant à mi-cuisson.

Tomates :

Laver 6 tomates, les essuyer. Leur découper un chapeau côté pédoncule. A l'aide d'une petite cuillère, les épépiner, saupoudrer légèrement l'intérieur de sel et les retourner sur une grille pour les égoutter.

Eplucher et hacher les oignons.

Laver et hacher le vert des blettes.

Peler, épépiner et couper les 2 tomates restantes.

POUR 6 PERSONNES

Pour les poivrons :
8 poivrons rouges ou jaunes,
2 oignons,
1 gousse d'ail,
200 g de poitrine demi-sel,
130 g de riz,
2 œufs,
50 g de parmesan,
4 dl d'eau,
3 brins de basilic,
huile d'olive,
sel, poivre.

*Temps de cuisson*
*1 heure*

Pour les tomates :
8 tomates moyennes
mûres mais fermes,
100 g de bœuf haché,
100 g de porc haché,
50 g de veau haché,
200 g de vert de blettes,
2 oignons,
1 gousse d'ail,
2 œufs,
80 g de parmesan,
huile d'olive,
sel, poivre.

*Temps de cuisson*
*55 min*

Faire fondre les oignons hachés dans une cocotte avec de l'huile d'olive. Ajouter les tomates, le vert des blettes, les viandes hachées ainsi que la gousse d'ail.

Faire cuire cette farce à feu moyen pendant 15 minutes. Laisser refroidir.

Incorporer les deux œufs battus et le parmesan râpé. Bien mélanger et rectifier l'assaisonnement en sel et poivre.

Remplir les tomates avec cette farce. Les déposer dans un plat à gratin huilé. Les arroser d'un filet d'huile d'olive. Replacer les chapeaux.

Mettre à cuire les tomates à four moyen 30 minutes.

Aubergines :

Laver les aubergines, leur ôter le pédoncule. Les faire cuire 8 à 10 minutes à l'eau bouillante avec l'oignon épluché et coupé en quatre et la gousse d'ail. Les passer sous l'eau froide pour les rafraîchir, les égoutter, les sécher.

Ouvrir les aubergines en deux dans le sens de la longueur. Les évider à l'aide d'une petite cuillère sans percer la peau. Réserver la chair.

Hacher la poitrine, la faire revenir à la poêle dans de l'huile d'olive en l'émiettant à la fourchette.

Ajouter les filets d'anchois rincés et séchés. Les laisser fondre.

Laisser refroidir et ajouter l'œuf, la chapelure, le parmesan râpé et la chair des aubergines. Bien mélanger.

Garnir les demi-aubergines avec cette farce et les déposer dans un plat à gratin huilé.

Hacher les feuilles de basilic et la gousse d'ail. Les mélanger au coulis de tomates ainsi que la pointe de cayenne. Napper les aubergines de coulis de tomates.

Arroser d'un filet d'huile d'olive.

Faire cuire à four moyen 45 minutes.


Courgettes :

Faire cuire le riz, 20 minutes à l'eau bouillante salée. L'égoutter.

Eplucher et hacher l'oignon.

Laver les courgettes, les couper en deux dans la longueur. Les évider à l'aide d'une petite cuillère.

Faire fondre l'oignon à la poêle dans de l'huile d'olive, ajouter la chair des courgettes hachées.

Dans une terrine, mélanger le riz à l'oignon et à la chair de courgettes fondus.

Hacher le petit salé, l'ajouter au riz ainsi que les œufs entier et le parmesan râpé.

Eplucher et hacher la gousse d'ail avec le basilic, les ajouter à la farce.

Garnir les demi-courgettes avec la farce. Saupoudrer le dessus d'un peu de chapelure.

Les disposer dans un plat huilé allant au four.

Les cuire à four moyen pendant 40 minutes.

Pour les aubergines :
3 grosses aubergines,
60 g de poitrine demi-sel,
2 filets d'anchois,
50 g de parmesan,
1 oignon,
2 gousses d'ail,
1 œuf,
1 dl de coulis
de tomates frais,
3 brins de basilic,
1 cuillerée à soupe
de chapelure,
1 pointe de cayenne,
huile d'olive,
sel, poivre.

*Temps de cuisson
1 heure environ*

Pour les courgettes :
6 courgettes moyennes,
50 g de petit salé cuit,
2 œufs,
100 g de parmesan,
60 g de riz,
1 oignon moyen,
1 gousse d'ail,
2 brins de basilic,
1 cuillerée à soupe
de chapelure,
huile d'olive,
sel, poivre.

*Temps de cuisson
1 heure 10 min*

Pour les oignons :
6 petits oignons moyens
et les mêmes ingrédients que
pour les courgettes.

*Temps de cuisson
1 heure environ*

Oignons :

Eplucher les oignons, les faire cuire à l'eau bouillante salée pendant 15 minutes.

Les égoutter, les sécher. Leur couper un chapeau et les creuser de manière à ne conserver que 2 épaisseurs.

Faire cuire le riz à l'eau bouillante salée, 20 minutes.

Hacher la chair des oignons, la faire fondre à la poêle dans de l'huile d'olive.

Hacher finement le petit salé, le mélanger au riz et à la fondue d'oignons.

Incorporer les œufs à cette préparation ainsi que le parmesan râpé.

Hacher fin le basilic et l'ail, les mélanger à la farce.

Farcir les oignons évidés avec cette farce. Les disposer dans un plat à gratin huilé.

Les saupoudrer de chapelure, les arroser d'un filet d'huile d'olive.

Mettre les oignons à cuire 35 minutes à four moyen.

# Tarte au brocciu

*Voici au moins une recette corse. On pourra également la trouver en Provence, où le brocciu (fromage frais de brebis) s'appelera alors brousse. C'est donc un gâteau au fromage léger et délicieux que vous ne mangerez pas en été, le brocciu étant disponible seulement de l'automne au début du printemps.*

*Le brocciu ou brousse entre également dans la préparation des omelettes et je me souviens d'une de celles-ci, préparée dans la montagne au-dessus de Calvi par une femme en noir, au bord d'un torrent.*

POUR 6 PERSONNES

500 g de brocciu
ou de brousse,
5 œufs,
250 g de sucre en poudre,
1 citron non traité
ou 1 verre d'eau de vie,
1 noisette de beurre.

Matériel :
1 moule à quiche
à bords hauts.

*Temps de cuisson
45 min*

Prélever le zeste de citron et le hacher.

Ecraser le brocciu à la fourchette dans un saladier.

Battre les œufs et le sucre jusqu'à ce que le mélange blanchisse. Le verser sur le brocciu et bien mélanger.

Ajouter le zeste de citron haché.

Faire chauffer le four à 240° (th 8).

Beurrer le moule et y verser la préparation.

Mettre le moule au four et abaisser la température à 150° (th 5).

Faire cuire 45 minutes.

Servir tiède ou froid.

Pour la pâte :
250 g de farine,
100 g de beurre,
75 g de sucre en poudre,
1 œuf,
1 pincée de sel.

Garniture :
300 g de feuilles de blettes,
3 pommes,
50 g de raisins de Corinthe,
50 g de pignons,
25 g de poudre d'amande,
75 g de cassonade,
1 œuf,
3 cuillerées à soupe
de rhum,
1 cuillerée à dessert
d'huile d'olive.

*Temps de cuisson
30 min*

# Tourte aux blettes

*On dit aussi bettes et contrairement au cardon, on en consomme également les feuilles, ce qui, dans les hachis et dans les farces, donne une jolie couleur verte semblable à celle des épinards. Pour être typiquement provençale, la tarte aux blettes ne s'apparente pas moins à toutes ces tartes aux légumes qui sont une des façons de mettre en vedette un des produits de la région. J'en donne ici la version sucrée qui peut se manger tiède ou froide.*

Préparer la pâte 1 heure à l'avance.

Verser la farine dans un saladier. Y faire un puits, et y déposer le sucre, l'œuf battu, le sel et le beurre mou coupé en morceaux. Mélanger très rapidement du bout des doigts.

Frotter la pâte entre les paumes pour la «sabler». La rouler en boule et laisser reposer au frais, 1 heure.

La garniture :

Faire tremper les raisins dans le rhum.

Eplucher, laver, sécher et couper en lanières les feuilles de blettes. Les faire blanchir, 1 minute à l'eau bouillante. Les égoutter, les sécher dans un torchon.

Mélanger dans une terrine, la cassonade, l'œuf battu, les raisins égouttés, les pignons, la poudre d'amande, l'huile et une pincée de poivre.

Incorporer les blettes.

Eplucher et couper les pommes en lamelles.

Diviser la pâte en deux morceaux inégaux (2/3-1/3). Les étaler en deux disques.

Tapisser le fond et les côtés de la tourtière beurrée avec le plus grand disque de pâte.

Garnir avec la préparation aux blettes. Recouvrir avec les lamelles de pommes.

Poser le second disque de pâte par-dessus. Mouiller les bords pour les souder. Piquer le dessus avec une fourchette.

Faire cuire à four chaud 30 minutes.

Saupoudrer de sucre en poudre la tourte encore chaude.

Servir tiède ou froide.

BORDELAIS

Sous la dénomination de Bordelais, j'ai mis une bonne partie de l'Aquitaine et même certaines spécialités du Pays basque, non pas que ce dernier ne mérite à lui seul un chapitre. Il m'a semblé cependant que le Bordelais avait tout à gagner en s'associant à ses voisins du Sud-Ouest. Porteur d'une puissance et d'un rayonnement uniques au monde, Bordeaux n'est pas un phare gastronomique, comme si tout l'éclat que la région pouvait donner était concentré dans ses vins. Les produits de qualité n'y sont cependant pas plus rares qu'ailleurs, et les provinces limitrophes fournissent ce qui pourrait manquer : foies gras et confits, agneau de Pauillac et beurre des Charentes pour n'en citer que quelques-uns.

Quelques traditions typiquement bordelaises peuvent également surprendre, comme cette habitude de servir les huîtres accompagnées d'une petite saucisse ou d'une crépinette grillée.

Comme la fameuse lamproie à la bordelaise, poisson de mer et d'eau douce qui s'apparente à l'anguille et que l'on cuit dans son sang.

Comme les pibales enfin, ces alevins d'anguille dont on fait des fritures et des fricassées renommées. Il existe également une grande cuisine bourgeoise de château, mais là encore, tout est prétexte à mettre en valeur l'excellence des vins de Bordeaux, comme si la cuisine n'en était que l'accompagnement.

C'est pourquoi je me suis adjoint l'aide des Béarnais, des Gascons et des Basques bon teint. Tout en gardant leur identité propre, ils viennent ici renforcer les traditions d'un Sud-Ouest qui sait se tenir à table.

101

# Garbure

*Ce n'est certes pas une soupe pauvre de nos jours. On y met tout ce qu'il faut, poitrine, confit d'oie (quelquefois jambonneaux et saucissons) et c'est un plat complet à lui tout seul. Mais sans doute existe-t-il autant de garbures que d'amateurs et j'en connais même, dites «garbures à l'oignon», qui doivent être la version lyonnaise de la seule authentique, la béarnaise. Une bonne garbure peut être plus ou moins riche, mais il faut que la cuillère y tienne toute seule. C'est ce qu'on dit en tout cas du côté de Pau.*

Eplucher tous les légumes du bouillon. Les mettre dans un grand fait-tout avec la poule, les grains de poivre et une pincée de gros sel. Recouvrir d'eau froide (environ 4 litres) et porter à ébullition.

Laisser cuire 2 heures.

Retirer la poule et les légumes. Ne garder que le bouillon.

Eplucher le chou, en lui retirant les feuilles externes les plus dures. Le couper en quatre, le faire blanchir à l'eau bouillante 10 minutes, l'égoutter.

Eplucher les pommes de terre, les laver, les couper en quatre.

Eplucher également les carottes, les couper en gros dés.

Ecosser les haricots blancs, les faire cuire à l'eau bouillante salée pendant 45 minutes.

Enduire le chou d'un peu de la graisse d'oie prélevée sur les confits d'ailerons et de gésiers.

Mettre le bouillon dans le fait-tout, ajouter le lard coupé en morceaux, et la gousse d'ail.

Laisser frémir 20 minutes, puis ajouter le chou, les pommes de terre, les carottes et laisser cuire 30 minutes.

Ajouter les haricots, les gésiers et les ailerons.

Laisser cuire 1 heure à petits frémissements.

Rectifier l'assaisonnement et servir très chaud.

POUR 8 PERSONNES

Pour le bouillon :
1 poule,
3 carottes,
2 navets,
2 côtes de céleri,
2 poireaux,
1 oignon,
sel, quelques
grains de poivre.

Les autres éléments :
1 petit chou vert,
800 g de pommes de terre,
400 g de carottes,
500 g de haricots
blancs frais,
500 g de gésiers confits,
500 g d'ailerons confits
avec leur graisse,
200 g de lard salé,
1 gousse d'ail,
sel, poivre.

*Temps de cuisson
3 heures au moins*

1 kg de morue salée,
25 cl d'huile d'olive,
3 gousses d'ail.

Pour la sauce :
750 g d'oignons doux,
1 gousse d'ail,
100 g de gras de jambon,
50 g de jambon cru,
3 brins de persil,
1 petit Lu,
15 cl d'huile d'olive,
3 piments doux,
1 piment piquant et sec,
2 cuillerées à soupe
de sauce tomate,
1 noix de beurre,
1 pincée de poivre blanc,
1 pincée de poivre
de cayenne,
sel.

*Temps de cuisson
morue
15 min
sauce
2 h 20 min*

# Morue à la Biscayenne

*La Biscaye est une des provinces basques de l'Espagne mais l'apprêt à la biscayenne se retrouve fréquemment de l'autre côté de la frontière. C'est ainsi qu'à Saint-Jean-Pied-de-Port, j'ai goûté la morue d'Arrambide, une des meilleures qui soient. La préparation de la sauce prend un peu de temps, mais comme il convient de faire dessaler la morue pendant 24 heures au moins, rien ne vous empêche de la préparer la veille.*

La veille : désarêter la morue en conservant la peau. La couper en quatre morceaux, la peau placée au-dessus, les faire tremper 24 heures dans une passoire posée sous un filet d'eau.

Le jour même : rincer la morue. Gratter la peau. Eponger les darnes dans un linge.

Réserver. Faire tremper les piments dans un bol d'eau chaude pendant deux bonnes heures. Les ouvrir en deux. Oter les grains et la pulpe. Eplucher les oignons et la gousse d'ail. Les émincer finement. Lier les brins de persil entre eux.

Dans une casserole, faire chauffer les 15 cl d'huile d'olive, y ajouter les oignons, l'ail, le gras de jambon et le jambon coupé en petits dés, le bouquet de persil et le petit beurre. Laisser cuire à feu très doux pendant 2 heures.

La consistance du mélange doit être celle d'une purée et la couleur légèrement dorée. Oter le gras, le jambon et le persil. Mettre les piments dans la sauce et laisser frémir 15 minutes avant de la passer à la passoire fine, jusqu'à obtention d'une purée très légère. Remettre le tout dans la casserole avec sauce tomate, beurre, sel et poivre. Bien mélanger et faire bouillir 5 minutes. Réserver.

Dans une terrine ou une sauteuse en terre, verser 25 cl d'huile d'olive. Faire cuire à feu très doux les trois gousses d'ail épluchées et coupées en rondelles. Quand l'ail commence à prendre couleur, le retirer à l'aide d'une écumoire. Le remplacer immédiatement par les tranches de morue, côté blanc en dessous et peau dessus ; laisser cuire 10 minutes. Oter les morceaux de morue du récipient. Réserver l'huile d'olive. Remettre les darnes dans la terrine ou le poêlon, napper avec la sauce. Arroser de deux cuillerées à soupe d'huile de cuisson de la morue. Reporter sur le feu, jusqu'à frémissement. Servir aussitôt.

# Œufs à la piperade

*Typique du Pays basque, cette préparation demande de bons produits simples et frais. Des œufs bien sûr et la piperade elle-même, mélange de tomates, oignons et poivrons qui lui donnent son nom, puisque en béarnais «piper» signifie poivron. Ceci explique cela. Mais quand on est sur place on a tout intérêt à acheter les petits piments doux de saison qui feront merveille.*

Eplucher et émincer les oignons.

Epépiner les piments et les couper en lanières de 2 cm de long.

Eplucher et épépiner les tomates, les couper en quatre.

Eplucher et couper les gousses d'ail en lamelles.

Faire chauffer l'huile dans une grande poêle. Y faire revenir les oignons et les gousses d'ail. Ajouter les piments au bout de 10 minutes, les laisser dorer 5 minutes. Ajouter les tomates, et laisser cuire à feu moyen 15 minutes.

Casser les œufs un par un dans un saladier et les battre à la fourchette.

Les verser dans la poêle sur les légumes. Mélanger à la cuillère en bois jusqu'à ce que les œufs prennent une consistance moelleuse d'œufs brouillés.

Saler, poivrer et verser dans un plat de service chaud.

Passer rapidement les tranches de jambon à la poêle à feu vif, 3 secondes de chaque côté.

Les poser sur la piperade et servir immédiatement.

POUR 6 PERSONNES

9 œufs,
6 tranches épaisses de jambon de Bayonne,
1 kg de tomates,
500 g de piments d'Espelette
(ou 500 g de poivrons),
3 oignons moyens,
2 gousses d'ail,
5 cl d'huile d'olive,
sel, poivre du moulin.

*Temps de cuisson 35 min*

POUR 6 PERSONNES

6 gros encornets
(ou 12 moyens),
2 tranches épaisses
de jambon de Bayonne,
5 grosses tomates,
1 bouquet de persil plat,
2 gousses d'ail,
2 oignons,
150 g de mie de pain rassis,
1 brin de thym,
1 dl de vin blanc sec,
huile d'olive,
sel, poivre,
piment de cayenne.

Matériel :
petites piques en bois.

*Temps de cuisson
45 min environ*

# Chipirons farcis

*Un petit cousin de la seiche le chipiron, avec l'accent basque bien sûr. Cuits dans leur encre (en su tinta), ils donnent un plat de cuisine basque espagnole très réputé et très noir... noir. Farcis comme je vous les propose, ils peuvent être aussi bien marseillais que basques.*

*N.B. Autres noms du chipiron : encornet, calamar, calmar, supion (dans le Midi).*

Retirer la tête des encornets, réserver les tentacules. Les vider sans les percer, les laver, les sécher.

Faire tremper la mie de pain dans le vin blanc.

Eplucher et hacher les oignons et l'ail.

Effeuiller le persil, le hacher.

Hacher très finement le jambon de Bayonne.

Hacher les tentacules.

Faire chauffer 2 cuillerées à soupe d'huile d'olive dans une grande poêle. Y faire revenir les oignons et l'ail, puis ajouter le jambon et le hachis de tentacules.

Bien mélanger, saler, poivrer, laisser cuire 5 minutes.

Presser la mie de pain, l'émietter dans la poêle, mélanger.

Ajouter hors du feu le persil haché.

Rectifier l'assaisonnement, ajouter une pincée de piment de cayenne. Farcir les encornets avec cette préparation.

Les fermer avec deux piques en bois en les croisant. (On peut également les coudre.)

Eplucher les tomates, les couper en gros morceaux.

Faire chauffer 2 cuillerées à soupe d'huile d'olive dans une cocotte. Lorsque l'huile est chaude, y faire revenir les encornets.

Ajouter les tomates en morceaux, le brin de thym. Couvrir et laisser cuire à feu moyen pendant 30 minutes.

# Poulet basquaise

*Il s'agit d'une fricassée de poulet agrémentée de poivrons, tomates, oignons et, bien que certains n'en utilisent pas, d'un peu de jambon de Bayonne. Nom générique qui désigne un jambon salé, salpêtré et mis à sécher pendant cinq mois, il peut être fait à peu près partout et les plus réputés ne sont étrangement pas de Bayonne mais de Peyrehorade et d'Orthez dans le Béarn. On peut également préparer des œufs à la basquaise en suivant la recette ci-après.*

Faire chauffer 5 cl d'huile d'olive dans une cocotte.

Y faire dorer les morceaux de poulet, saler, poivrer, couvrir et laisser cuire à feu doux 15 minutes.

Eplucher et émincer les oignons.

Peler et épépiner les tomates.

Faire chauffer l'huile restante dans une sauteuse. Y faire revenir les oignons à feu doux 15 minutes.

Ajouter les tomates et laisser cuire encore 15 minutes.

Saler, poivrer et réserver au chaud.

Eplucher et couper les gousses d'ail, les ajouter dans la cocotte avec le poulet.

Eplucher et épépiner les piments, les couper en morceaux. Les ajouter au poulet.

Couper le jambon en bâtonnets, les ajouter dans la cocotte et continuer la cuisson 20 minutes.

Verser la fondue de tomates dans le fond du plat de service chaud.

Disposer les morceaux de poulet par-dessus, puis les bâtonnets de jambon et les piments.

POUR 6 PERSONNES

1 poulet fermier (1,800 kg) coupé en 12 morceaux,
4 tranches épaisses de jambon de Bayonne (250 g),
1 kg de piments d'Espelette (ou de poivrons),
1 kg de tomates,
2 gros oignons,
5 gousses d'ail,
10 cl d'huile d'olive,
sel, poivre du moulin.

*Temps de cuisson*
*50 min*

# Poule au pot béarnaise

*Un plat royal s'il en est, qui fait partie de la petite histoire et de la grande. Je ne sais pas si dans les écoles on parle encore du bon roi Henri qui aimait les dames et la bonne chère, mais je me souviens que de mon temps il apparaissait comme un personnage plein de mansuétude, tellement occupé du sort de ses sujets qu'il s'inquiétait même de ce qu'ils allaient manger le dimanche. Souci fort louable d'où naquit la poule au pot dont il existe plusieurs recettes anciennes. Poule farcie pour les uns, poule marinée et cuite au bouillon pour les autres. Qu'importe puisque voici la véritable et excellente poule au pot béarnaise.*

Eplucher l'oignon, le piquer des clous de girofle.

Remplir un grand fait-tout de 3 litres d'eau. Ajouter l'oignon, la branche de céleri, les abats de la poule, gros sel et quelques grains de poivre.

Porter à ébullition, écumer et laisser frémir 30 minutes.

Préparer la farce: faire tremper la mie de pain dans le bouillon. Effeuiller et hacher le persil et l'estragon. Eplucher et hacher l'ail et l'échalote.

Hacher finement le jambon, le foie et le gésier.

Les mettre dans un saladier avec l'ail, l'échalote et les herbes hachées.

Presser la mie de pain, l'ajouter ainsi que les jaunes d'œuf. Bien mélanger, assaisonner en sel et poivre.

Farcir la poule avec cette préparation. Coudre l'ouverture et la brider.

Plonger la poule dans le bouillon frémissant, écumer. La laisser cuire à petit feu 2 h 30 en tout.

Eplucher et laver carottes, navets, poireaux, pommes de terre et chou. Faire blanchir ce dernier 10 minutes à l'eau bouillante salée. Le passer sous l'eau froide, l'égoutter.

45 minutes avant la fin de la cuisson, ajouter les légumes, sauf les pommes de terre, dans le fait-tout.

Faire cuire les pommes de terre dans une casserole, à part, 30 minutes à l'eau salée.

Servir d'abord le bouillon sur des tranches de pain de campagne séchées au four, la poule découpée, sa farce et les légumes ensuite. L'accompagner de gros sel et de poivre.

POUR 5 À 6 PERSONNES

1 belle poule bien grasse
(2 kg environ), vidée avec
foie et gésier à part,
250 g de jambon
de Bayonne,
130 g de mie de pain rassis,
2 œufs,
1 gousse d'ail,
1 échalote,
10 brins de persil,
2 brins d'estragon,
6 carottes,
1 petit chou vert,
3 navets,
4 poireaux,
1 oignon,
1 branche de céleri,
3 grosses pommes de terre,
grains de poivre,
2 clous de girofle,
gros sel,
5 g de poivre du moulin.

*Temps de cuisson
3 heures*

# Entrecôte bordelaise

Faites un sondage autour de vous et demandez qu'on vous décrive l'entrecôte bordelaise. Le résultat ne se fera pas attendre ou alors je me trompe fort. Au seul mot de bordelais tout le monde optera pour une sauce au vin. Et bien non. Cette sauce existe et s'appelle effectivement sauce bordelaise mais elle donnera alors l'entrecôte « à la » bordelaise. Il ne s'agit ici que d'une belle entrecôte bien poivrée et cuite en grillade sur des sarments de vigne ou à l'huile et recouverte d'un hachis d'échalotes crues.

Préparer un feu avec les sarments de vigne.

Eplucher et hacher les échalotes très finement.

Huiler l'entrecôte des deux côtés, en faisant bien pénétrer l'huile. La saupoudrer légèrement de gros sel (Guérande).

La poser sur le gril lorsque la braise est bonne.

Faire griller l'entrecôte, 8 minutes d'un côté, puis la retourner. La laisser encore cuire 6 minutes.

La poivrer et la saupoudrer des échalotes hachées.

Servir telle quelle.

On peut ajouter une noix de beurre.

POUR 2 PERSONNES

Une entrecôte de 450 g environ, 9 échalotes (grises de préférence), huile d'olive, gros sel de Guérande, poivre du moulin.

Matériel : sarments de vigne.

*Temps de cuisson 14/15 min.*

# Gigot en gasconnade

POUR 6 À 8 PERSONNES

1 gigot d'agneau de 2 kg,
24 filets d'anchois,
1 bouteille de vin rouge
(madiran),
4 oignons,
2 carottes,
2 blancs de poireau,
10 gousses d'ail,
4 tomates,
1 petite boîte de
concentré de tomates,
huile d'olive,
sel, poivre.

*Temps de cuisson
1 h 45 min*

*F anfaronnade, exagération, dit le petit Larousse à l'article gasconnade. Est-il vraiment exagéré de piquer un gigot de filets d'anchois comme d'autres le font avec l'ail ? Les Gascons vous assureront que non mais souligneront tout de même que l'authentique gasconnade exige un gigot de mouton et non d'agneau.*

Eplucher les gousses d'ail. Les blanchir 2 minutes à l'eau bouillante. Les passer sous l'eau froide. Les sécher.

Eplucher les carottes, les oignons, les blancs de poireau, les hacher.

Piquer le gigot avec les filets d'anchois en les répartissant. Peler et épépiner les tomates, les couper en gros morceaux.

Faire chauffer 2 cuillerées à soupe d'huile d'olive dans une grande cocotte. Y faire dorer le gigot de tous les côtés à feu vif.

Le retirer, le badigeonner avec le concentré de tomates. Le remettre dans la cocotte, le laisser prendre couleur.

Ajouter les légumes hachés et les gousses d'ail. Mélanger.

Laisser revenir à feu doux, puis ajouter les tomates.

Mouiller avec le vin rouge.

Poivrer. Couvrir et mettre à four moyen à 170° (th 5/6) pendant 1 h 30.

En fin de cuisson, retirer le gigot et les gousses d'ail. Les déposer sur un plat chaud.

Passer la sauce à travers un chinois et la verser sur le gigot, après l'avoir goûtée et, si nécessaire, rectifié l'assaisonnement.

Accompagner de pâtes fraîches (tagliatelles).

# Cassoulet toulousain

*D*ans les sondages le cassoulet fait partie des dix plats préférés des Français. Spécialité paysanne s'il en est, sa composition peut varier d'une ville à l'autre mais il s'agira toujours de viandes et de haricots mijotés dans une casserole de terre, dite cassole, d'où il tire son nom. Qu'il soit de Castelnaudary (fait essentiellement à base de porc), de Carcassonne (on y trouve aussi du gigot et de la perdrix en saison), ou de Toulouse (agrémenté de saucisses, de confit et de mouton), c'est un des grands classiques de la cuisine régionale française. Anciennement il se faisait avec des fèves, les haricots n'ayant pas encore été importés du Nouveau Monde. Aujourd'hui pour les puristes le seul haricot qui convienne est le tarbais, mais les variétés coco ou lingot feront aussi très bien l'affaire.

Mettre les haricots à tremper 2 heures à l'eau froide. S'ils sont de l'année cette étape est inutile.

Faire blanchir le lard maigre 10 minutes à l'eau bouillante. Le rafraîchir, l'égoutter.

Eplucher carotte et oignons, en piquer un des clous de girofle.

Couper la carotte en rondelles. Enfermer les grains de poivre dans une mousseline.

Tapisser le fond d'un grand fait-tout avec les couennes, ajouter les haricots rincés et égouttés, le lard, les gousses d'ail, les rondelles de carotte, le bouquet garni, l'oignon piqué des clous de girofle, le sachet de poivre. Couvrir de 2 litres d'eau froide. Porter à ébullition en écumant, puis couvrir et laisser cuire 1 heure à couvert.

Ajouter le saucisson à l'ail et la saucisse de Toulouse. Poursuivre la cuisson 30 minutes.

Pendant la cuisson des haricots, couper l'épaule et le collier en morceaux.

Les faire revenir dans 2 cuillerées à soupe de graisse du confit. Saler, poivrer, les retirer.

Hacher les oignons restants, écraser les gousses d'ail, les faire revenir dans la même graisse que les viandes, mouiller avec une louche d'eau de cuisson des haricots. Laisser frémir 5 minutes.

Faire dorer les morceaux de confit de canard dans une poêle chaude, sans matière grasse.

POUR 10 À 12 PERSONNES

1 kg de haricots lingots,
250 g de lard maigre,
250 g de couennes fraîches,
350 g de saucisse de Toulouse,
1 saucisson à l'ail cru,
800 g d'épaule d'agneau désossée,
500 g de collier d'agneau,
850 g de confit de canard,
3 oignons,
2 clous de girofle,
1 grosse carotte,
6 gousses d'ail,
1 bouquet garni,
15 grains de poivre,
120 g de chapelure blanche,
la graisse du confit,
sel, poivre.

*Temps de cuisson
5 à 6 heures*

114

Retirer le bouquet garni, le sachet de poivre et l'oignon du fait-tout ainsi que le saucisson et la saucisse de Toulouse.

Couper ces derniers en rondelles de 1 cm.

Préchauffer le four à 120° (th 4).

Graisser un plat allant au four avec un peu de graisse du confit. Le remplir d'une couche de haricots.

Recouvrir d'une couche de viande (agneau et lard maigre), du confit et des rondelles de saucisses et saucisson. Ajouter la fondue d'oignons et son jus.

Continuer à remplir le plat en alternant haricots et viande.

Saupoudrer de chapelure, arroser de 3 louches de jus de haricots et de graisse de confit tiède.

Mettre au four et laisser cuire 4 heures en ajoutant un peu d'eau de cuisson des haricots, si nécessaire, et en saupoudrant 3 fois de chapelure en cours de cuisson.

# Gâteau basque

Dans son «Itinéraire nutritif», sorte de tour de France et répertoire des meilleures spécialités régionales, Grimod de la Reynière ne cite pas le gâteau basque. Fait à base de crème pâtissière et de farine, c'est pourtant un gâteau délicieux, une de ces préparations de terroir, dont le parfum légèrement citronné s'élève dans les cuisines basques du littoral à la frontière espagnole.

Préparer la pâte : râper très finement le zeste de citron.

Mettre le sucre, le sel, le zeste de citron râpé, un œuf entier et un jaune dans un saladier. Travailler le mélange jusqu'à ce qu'il blanchisse. Incorporer peu à peu le beurre ramolli.

Ajouter la farine et finir de travailler la pâte à la main. La rouler en boule et la laisser reposer au frais au moins 40 minutes.

Préparer la crème pâtissière : faire bouillir le lait avec la demi-gousse de vanille fendue en deux.

Travailler le sucre et les jaunes d'œufs dans une terrine jusqu'à ce que le mélange blanchisse. Incorporer la farine puis le rhum. Verser petit à petit le lait bouillant.

Reverser dans la casserole et faire épaissir à feu très doux sans cesser de tourner. Dès que le mélange commence à bouillir, retirer du feu.

Déposer une noix de beurre à la surface de la crème et la laisser refroidir.

Montage du gâteau :
Séparer la pâte en 2/3 et 1/3.

Etaler les 2/3. En tapisser le fond et les côtés d'un moule à manqué beurré.

Garnir l'intérieur avec la crème pâtissière refroidie.

Etaler l'autre morceau de pâte, le poser en couvercle en le faisant adhérer en mouillant les bords avec un peu d'eau et en pinçant.

Badigeonner la surface à l'œuf battu à l'aide d'un pinceau. Dessiner des stries avec les dents d'une fourchette.

Piquer la surface du gâteau avec la pointe d'un couteau.

Faire cuire à four moyen à 210° (th 7), pendant 45 minutes. Laisser refroidir avant de démouler.

POUR 8 PERSONNES

Pour la pâte :
200 g de farine,
150 g de beurre,
150 g de sucre en poudre,
2 œufs,
le zeste d'un citron
non traité,
1/2 cuillerée à café de sel.

Pour la crème pâtissière :
1/4 litre de lait,
2 jaunes d'œufs,
50 g de sucre en poudre,
30 g de farine,
1 cuillerée à soupe
de rhum,
1/2 gousse de vanille,
1 noix de beurre.

Matériel :
1 moule à manqué de 18 à
20 cm de diamètre.

*Temps de cuisson
1 h environ*

C e comté constitué au XIX<sup>e</sup> siècle fut rattaché par Henri IV à la Maison royale de France. A l'extrémité nord-est de l'Aquitaine, il s'étend sur le département de la Dordogne, si chère à nos amis Anglais.

Nom magique sur la carte culinaire, le Périgord doit sa réputation aux ressources naturelles qui poussent, comme par hasard, sur son sol. Pays de chênes et de châtaigniers, la truffe et la châtaigne y voisinent avec les cèpes et les girolles. Le gibier y est abondant, et dans les cours d'eau on pêche encore l'écrevisse.

Célèbre pour ses foies gras d'oie et de canard, ses cous farcis, ses confits en toupins de grès bien rangés dans les armoires, et une huile de noix fruitée qui donne de l'esprit aux salades, le Périgord ne fait pas grand cas du beurre et lui préfère de loin la graisse d'oie qui donne un goût si particulier à la moindre omelette ou poêlée de pommes de terre sautées.

Un repas en Périgord dans une auberge de campagne vaut tous les détours. Vous aurez peut-être le bonheur de goûter la soupe aux vermicelles gras (c'est-à-dire à la graisse d'oie) dans laquelle, lorsqu'il ne restera plus que deux ou trois cuillerées au fond de l'assiette vous ferez «chabrot» en y mélangeant une bonne rasade de vin rouge de Bergerac ; un foie

gras poêlé sur son lit d'oseille et une salade de pissenlit aux noix fraîches ou encore de pourpier, cette herbe grasse dont on retrouve l'usage depuis peu.

Le vin rouge de Bergerac, sombre et corsé, coulera dans les verres, à moins qu'on ne préfère la suavité du Monbazillac qu'adoraient nos grands-mères. En Périgord, il y a tout : ce qui fait notre prestige à l'étranger et le bonheur des produits de tous les jours. La cuisine y est naturellement savoureuse et généreuse, comme devant rendre à la nature un peu de ce qu'elle lui a donné.

# Terrine de foie gras

Qu'il soit d'oie ou de canard, j'aimerais que le foie gras en terrine soit, plus souvent qu'il ne l'est, fait à la maison. La recette en est simple à condition bien sûr (et c'est vrai partout) d'avoir un foie de belle qualité qui ne rende pas trop de graisse à la cuisson. Bien fait, c'est là un des plus beaux fleurons de notre gastronomie nationale. Certains disent qu'il fut inventé en Alsace vers 1780 par Jean-Pierre Clause, cuisinier du maréchal de Contades, gouverneur du pays. Et de fait sous Louis XVI les pâtés de foie gras de Strasbourg étaient déjà renommés ; ce qui n'empêche pas qu'un dénommé Courtois en ait mis un au point quelques dix ans plus tôt à Périgueux même. De fait le foie gras en terrine du Périgord est aujourd'hui l'un des plus recherchés.

Dénerver soigneusement le foie, le saler, le poivrer à l'intérieur.

Le mettre dans la terrine, le recouvrir d'un papier d'aluminium et le laisser mariner au frais 2 heures.

Préchauffer le four à 90° (th 3).

Déposer la terrine au bain-marie, enfourner et la laisser cuire pendant 1 heure.

La sortir du four et la laisser reposer 45 minutes, puis poser sur le dessus une terrine de la même taille ou un poids pour tasser le foie.

Mettre au réfrigérateur et la laisser reposer au moins 24 heures avant de la consommer.

Sortir le foie gras du réfrigérateur, 10 minutes avant de le servir découpé en tranches et accompagné de tranches de pain de campagne grillées.

POUR 4 À 5 PERSONNES

1 foie cru de canard de 500 g environ,
1 cuillerée à café de gros sel de guérande,
1 pincée de poivre du moulin.

Matériel :
1 terrine de taille légèrement inférieure à celle du foie, papier d'aluminium.

*Temps de cuisson 1 heure*

# Tourin

*En Périgord, le tourin est roi, avec ses oignons, sa pointe d'ail, sa graisse d'oie et son filet de vinaigre. On le verse brûlant sur les «souppes», ces tranches de pain rassis dont le nom, à un «p» près, fut progressivement utilisé pour désigner le plat dans son entier. Après avoir mangé tout le pain, il est d'usage en Périgord d'y verser un peu de beau vin rouge. Cela s'appelle faire «chabrot» ou «chabrol» et permet en tout cas de s'octroyer une petite ou une bonne rasade de vin avec la soupe qui, de façon ordinaire, peut s'en passer.*

Eplucher et émincer les oignons.

Eplucher et hacher les gousses d'ail.

Faire chauffer la graisse d'oie dans une casserole.

Y mettre les oignons et les laisser cuire à feu doux jusqu'à ce qu'ils deviennent transparents.

Ajouter l'ail haché et laisser cuire 2 à 3 minutes.

Saupoudrer de farine en remuant avec une cuillère en bois.

Mouiller avec 1,5 litre d'eau chaude, non bouillante.

Saler, poivrer et laisser cuire de 15 à 20 minutes.

Mettre les tranches de pain rassis dans une soupière.

Verser la soupe bouillante par-dessus.

Délayer dans un bol les jaunes d'œufs avec le filet de vinaigre.

Ajouter petit à petit, toujours en remuant, quelques cuillerées du potage bouillant.

Reverser le tout dans la soupière.

Vérifier l'assaisonnement.

Mélanger avec la louche et servir immédiatement.

POUR 4 PERSONNES

1 grosse tête d'ail,
2 gros oignons,
2 cuillerées à soupe de graisse d'oie,
2 cuillerées à soupe rases de farine,
2 jaunes d'œufs,
1 filet de vinaigre,
quelques tranches très fines de pain rassis,
sel et poivre.

*Temps de cuisson 30 min environ*

POUR 4 PERSONNES

8 œufs,
2 cuillerées à soupe
de crème fraîche,
environ 200 g de
truffes fraîches
de la grosseur d'une noix,
sel, poivre.

Mettez une truffe fraîche et des œufs dans un récipient à couvercle et conservez le tout dans un endroit frais. Très rapidement, les œufs vont prendre le parfum de la truffe, grâce à la porosité de leur coquille. Mais les parfums s'effacent eux aussi, et si vous recommencez plusieurs fois l'opération votre truffe risque de ne plus avoir aucune saveur. Il faut choisir.

La veille : laver, brosser, rincer et essuyer les truffes.
Mettre les œufs avec les truffes dans une soupière.
Bien fermer et garder au frais.
Le jour même : couper les truffes en fines lamelles.
Casser les œufs dans un poêlon à fond épais.
Les battre, puis ajouter les lamelles de truffes avec leur jus, la crème, sel, poivre.
Laisser reposer 1 heure.
Mettre le poêlon dans un bain-marie d'eau bouillante.
Tourner le mélange et cuire les œufs sans cesser de tourner jusqu'à ce que le mélange épaississe et devienne crémeux. Servir immédiatement avec des tranches de pain de campagne grillées.

# Œufs brouillés aux truffes

125

# Confit de canard

Conserver, dans la pratique alimentaire, c'est surtout et toujours aménager le futur et tirer le meilleur parti possible de l'abondance du moment. En période de production de foies gras les canards gras sont nombreux sur les marchés, et les «paletots» sont le plus souvent transformés en confits tandis que les magrets, eux, sont vendus séparément. Ressources naturelles des réserves domestiques, les confits sont aussi bien du Périgord que du Gers ou des Landes, et de nombreuses viandes conviennent à ce mode de conservation par enrobage, canard et oie naturellement, mais aussi porc, dindonneau, poule ou pintade. Gardés dans des «toupins» de grès à l'abri de la lumière et dans un endroit sec et frais, les confits, sous leur couche de belle graisse, sont bons pour la consommation. Au bout d'un an, on peut craindre un léger rancissement.

POUR 4 PERSONNES

1 «paletot» de canard gras
(les 2 cuisses et les
2 magrets reliés entre eux
par la graisse et la peau),
2 à 3 gousses d'ail,
2 brins de thym,
1/2 feuille de laurier,
1 verre d'eau,
gros sel (de Bayonne
de préférence).

Matériel :
pots en terre vernissée
ou bocaux en verre.

*Temps de cuisson
2 heures.*

La veille : séparer les cuisses et les magrets du paletot. Les arrondir à l'aide d'un couteau pointu.

Détailler les parties grasses en dés de 3 cm. Réserver.

Mettre les morceaux de canard dans un grand saladier. Les recouvrir de gros sel et les laisser ainsi pendant 12 heures.

Le jour même : rincer les morceaux de canard à l'eau froide, les éponger soigneusement.

Mettre les cubes de gras à fondre dans une cocotte avec les gousses d'ail, le thym, le laurier et le verre d'eau.

Ajouter les morceaux de canard et laisser cuire à petits frémissements pendant 2 heures environ. La cuisson doit être très lente et douce afin que la viande soit la plus tendre possible. Sortir les morceaux de canard de la cocotte à l'aide d'une écumoire. Les déposer sur une grille et les faire refroidir très rapidement.

Filtrer la graisse de cuisson. Récupérer les grattons (petits morceaux de gras tout grillés pour les servir à l'apéritif).

Lorsque les morceaux de canard sont froids les mettre dans des pots en terre vernissée ou des bocaux en verre.

Verser par-dessus la graisse de canard tiède de façon à les recouvrir entièrement.

Protéger le dessus du pot d'un papier sulfurisé ou d'un film alimentaire.

# Anchaud

*Orthographié parfois enchaux ou enchaud, c'est un confit de porc, et pour certains plus savoureux même que le confit d'oie. Prélevé dans le filet, il est piqué d'ail, roulé sur lui-même et braisé en cocotte lentement. On dit que lorsqu'on peut le piquer et le traverser d'un fétu de paille, il est cuit. Il se garde comme tous les confits, en pots de terre, bien recouvert de graisse et se sert froid accompagné de légumes chauds, ou d'une simple salade à l'huile de noix.*

POUR 6 PERSONNES

1,500 kg de filet de porc,
60 g de gros sel,
4 gousses d'ail,
2 brins de thym,
poivre blanc du moulin,
500 g de saindoux,
sel.

Matériel :
ficelle fine.

*Temps de cuisson
2 h 30 min*

48 heures à l'avance, désosser le filet de porc.

Le poser à plat sur la table, le saler, le poivrer, saupoudrer de thym émietté.

Le rouler sur lui-même de manière à former un rôti. Le couper en deux dans la longueur. Ficeler ces rôtis. Les frotter avec le gros sel.

Eplucher les gousses d'ail, les couper en deux ou trois.

En piquer les rôtis et les laisser reposer au froid, pendant 48 heures.

Faire chauffer le saindoux dans une cocotte en fonte.

Frotter les viandes avec un torchon pour les débarrasser de l'excédent de sel.

Les plonger dans la graisse chaude à peine frémissante.

Les laisser cuire en maintenant une ébullition légère pendant 2 h 30.

Vérifier la cuisson avec une aiguille à tricoter.

Sortir les rôtis de la cocotte et les déposer dans des bocaux en verre ou en grès pouvant juste les contenir.

Filtrer la graisse de cuisson du porc. La verser sur la viande tiède de façon à obtenir un «bouchon» d'au moins 3 cm de graisse.

Attendre quelques semaines avant de déguster l'anchaud coupé en tranches fines et accompagné d'une salade de doucette à l'huile de noix ou de pommes de terre sautées à cru et relevées d'une pointe d'ail.

POUR 4 PERSONNES

800 g de pommes de terre
(BF15),
80 g de graisse d'oie,
3 gousses d'ail,
1 bouquet de persil plat,
sel, poivre.

*Temps de cuisson
15 min environ*

# Pommes de terre sarladaises

*Il s'agit tout bonnement d'un plat de ménage : des pommes de terre coupées en fines rondelles et sautées à cru à la graisse d'oie. On leur ajoute au dernier moment un hachis d'ail et de persil et c'est tout. Sarlat étant un des hauts lieux du marché de la truffe, certains cuisiniers parisiens ont eu l'idée d'en parfumer leurs pommes de terre. Mais les véritables pommes sarladaises n'en ont jamais comporté.*

Eplucher les pommes de terre, les couper en très fines rondelles, les laver, les sécher très soigneusement.

Préchauffer une grande poêle en fonte à feu vif, lorsqu'elle est bien chaude, ajouter la graisse d'oie, la laisser chauffer.

Y jeter les rondelles de pommes de terre. Les remuer de temps en temps et les laisser cuire environ 10 minutes.

Effeuiller et hacher le persil.

Eplucher et hacher très finement l'ail. Mélanger ce hachis au persil.

En fin de cuisson, saler et poivrer les pommes de terre.

Les saupoudrer du hachis d'ail et de persil.

Servir immédiatement avec le confit.

On peut au lieu de hacher l'ail et de le servir cru, faire cuire les gousses d'ail entières non épluchées, avec les pommes de terre qu'elles parfumeront ainsi.

Pour la pâte :
12 cuillerées à soupe
de farine,
2 cuillerées à soupe
de noix hachées,
8 cuillerées à soupe
de sucre en poudre,
3 cuillerées à soupe
de crème fraîche,
1 petit sachet de sucre
vanillé,
15 cl de lait,
3 œufs,
1 paquet de levure.

Pour la garniture :
100 g de noix hachées,
100 g de sucre,
50 g de farine,
3 jaunes d'œufs,
1/4 l de lait,
40 g de beurre.

Pour le glaçage :
50 g de chocolat,
100 g de sucre en poudre,
50 g de beurre.

Pour imbiber le biscuit :
2 petits verres de
liqueur de noix.

Matériel :
un moule à charlotte

*Temps de cuisson
40 min + 15 min environ*

# Gâteau aux noix

*Avec le Dauphiné, le Périgord se partage les principales noiseraies de France et c'est à Doissat que l'on trouve le musée de la Noix ainsi que la plus grande forêt de noyers d'Europe. Ce gâteau aux noix trouve donc ici un terrain d'élection tout particulier.*

Préparer la pâte : séparer les blancs des jaunes d'œufs.

Mettre ces derniers dans une terrine avec le sucre et mélanger jusqu'à ce qu'ils blanchissent et deviennent mousseux.

Y incorporer la farine, mélanger intimement, ajouter le sucre vanillé, la levure, puis le lait petit à petit et la crème.

Travailler bien la pâte qui doit faire le ruban. Ajouter les noix hachées.

Fouetter les blancs en neige ferme. Les incorporer à la pâte en soulevant la masse.

Beurrer un moule à charlotte, y verser la préparation.

Faire cuire à four très chaud à 270° (th 9), pendant 4 minutes.

Réduire ensuite la chaleur, sans ouvrir le four à 200° (th 6-7) et laisser cuire 30 à 35 minutes. Le gâteau est cuit lorsqu'il est souple sous les doigts.

Le laisser refroidir dans le moule.

Le couper en trois disques. Imbiber légèrement chaque tranche de liqueur de noix.

La garniture : mélanger le sucre et les 3 jaunes d'œufs. Ajouter la farine.

Verser délicatement le lait chaud en tournant.

Mettre sur feu moyen et laisser épaissir sans cesser de tourner.

Hors du feu, ajouter le beurre et les noix hachées.

Laisser tiédir, puis tartiner les deux tranches inférieures du biscuit et les superposer.

Le glaçage : mettre le sucre dans une casserole avec un verre d'eau.

Porter sur le feu et laisser cuire jusqu'à obtention d'un sirop consistant.

Ajouter le chocolat et laisser cuire 5 minutes sans cesser de remuer. Hors du feu, incorporer le beurre.

Etendre ce glaçage encore tiède sur le dessus du gâteau à l'aide d'une spatule.

BRETAGNE NORMANDIE

Un caprice de la rivière Couesnon mit un jour le mont Saint-Michel en Normandie, créant là une de ces frontières intouchables et deux pays farouchement attachés à leurs différences.

La Bretagne rude et douce d'un côté, avec ses forêts noires, ses tourbières, sa lumière inimitable, ses vents fous, ses ajoncs d'or et ses côtes rondes ou déchiquetées.

La Normandie de l'autre, acide comme une pomme verte, mais crémeuse aussi, précise comme une carte postale, grasse et riche.

Des pays plats, et quelquefois un accident de terrain. Des pays où la mer n'est jamais loin mais qui ont des zones intérieures où elle n'arrive pas.

Dix départements en tout, de la Seine-Maritime à la Loire-Atlantique où s'exprime une cuisine de produits à peine transformés.

En Bretagne, on vous dira qu'il n'existe pas de «gastronomie». C'est qu'ici, vous répondront les Bretons, les choses ont le goût de ce qu'elles sont. Et de fait, la cuisine bretonne n'est pas une cuisine médiocre. Elle est tout simplement l'illustration de ce dont j'ai parlé dans la préface de ce livre. Ici on a tout en qualité et en quantité : les meilleurs homards, les meilleures huîtres, des ormeaux quelquefois, du beurre de baratte, des poissons pêchés du jour, des coquillages, des crustacés bien vifs, des cochons bien élevés (il y en a d'autres qui le sont moins), de l'avoine pour les bouillies, du sarrasin pour les crêpes. Je vais m'arrêter là. Ou plutôt non. Aujourd'hui, en Bretagne, on fait pousser des mini légumes, puisque c'est la mode, des aubergines et des courgettes comme en plein

Midi et à Belle-Ile, il y a des melons comme à Cavaillon. L'olivier ne fait pas encore l'objet d'essais de culture, mais on a de superbes champs de colza...

Pour les Bretons, en raccourci, ce ne sont pas les bons produits qui manquent. Et qu'on ne leur dise pas qu'ils font quelquefois trop cuire leurs poissons, ils n'aiment pas ça.

En Normandie, par ailleurs, le mieux n'est jamais l'ennemi du bien et il existe une gastronomie normande abondante et riche. La crème y coule à flot et elle a des arrière-parfums de calvados ; le veau, traditionnellement, y est bien élevé, et mis à la casserole ; le canard est fait au sang ou à la rouennaise et le camembert, le livarot ou le pont-l'évêque font partie des fromages qui comptent sur la carte de France.

Et puis il y a le cidre et le calvados, liquides ambrés de la couleur d'une pomme confite. Le premier, boisson régionale s'il en est, est aussi présent en Bretagne, mais de façon plus accessoire puisque les vins de la région nantaise existent. Le second trouve son appellation dans la vallée d'Auge et son parfum de pommes sèches, comme celles que l'on garde sur claies au grenier, est inimitable.

135

# Crêpes de blé noir

*Je ne sais pas s'il existe encore des maisons bretonnes où la mère fait des crêpes sur le «billig» de fonte noire bien graissé au saindoux. On va plutôt à la crêperie. La seule différence c'est qu'il y a cinquante ans on avait meilleur appétit. Dix crêpes ça ne vous faisait pas peur et le goût du jeu allait jusqu'à prendre des paris sur les capacités d'engloutir de chacun. Le goût de la crêpe de blé noir est inimitable. Craquante et légère, le beurre salé apporte juste un peu de moelleux à cœur. A mon sens on peut se passer de toutes les garnitures : jambon, œuf, saucisse ou andouille ; mais la mode est ainsi, à la crêpe garnie, il n'y a rien à y faire. Préservez-nous seulement si possible des crêpes à la merguez ou à la ratatouille, comme il en existe, hélas.*

POUR 30 GALETTES

200 g de farine de blé noir,
50 g de farine,
1 œuf,
30 g de beurre,
1/2 litre d'eau, sel.

Mettre les farines dans une terrine. Ajouter l'œuf et la pincée de sel.

Faire fondre le beurre au bain-marie.

Travailler farine et œuf. Verser le beurre petit à petit. Mélanger. Verser l'eau doucement.

Battre ensuite énergiquement, la pâte doit avoir la consistance d'une crème liquide.

Laisser reposer 2 à 3 heures.

Au moment de l'utilisation, ajouter un peu d'eau, ou mieux de bière pour l'alléger. Faire chauffer une galetière.

La beurrer à l'aide d'un chiffon imbibé de beurre fondu.

Verser une petite louche de pâte dans la galetière en tournant rapidement pour la répartir finement.

Laisser dorer d'un côté, puis la retourner à l'aide d'une spatule (ou la faire sauter).

Laisser cuire de l'autre côté. Réserver au chaud.

Servir ces galettes, garnies de fromage, œuf, jambon, ou tout simplement avec un peu de beurre salé.

3 litres de moules
(bouchot de préférence),
20 cl de vin blanc,
150 g de beurre,
4 échalotes,
6 brins de persil,
1 brin de thym,
sel, poivre.

*Temps de cuisson
10 min*

# Moules à la marinière

*C'est sans doute la façon la plus simple de préparer les moules et l'occasion d'organiser de grandes tablées sans cérémonie devant une marmite qui sent bon le vin blanc et les échalotes. Mollusque peu onéreux il se prête par ailleurs à toutes sortes d'accomodements selon les régions. La plus spectaculaire étant sans doute l'éclade comme on la pratique en Charente-Maritime. Sur un lit d'aiguilles de pin bien sèches on pose les moules, charnière en bas, et on y met le feu. Au bout d'une minute ou deux, elles sont cuites et il ne reste plus qu'à les manger à la brûle-doigts.*

Eplucher et hacher les échalotes.

Faire fondre le tiers du beurre dans une grande casserole.

Ajouter les échalotes hachées, les faire fondre puis ajouter le vin blanc, quelques grains de poivre et le brin de thym. Laisser frémir 5 minutes.

Gratter et laver les moules.

Les mettre dans la casserole, couvrir et mettre sur feu vif. Secouer la casserole régulièrement pour permettre aux moules de s'ouvrir simultanément.

Oter le couvercle et retirer les moules au fur et à mesure qu'elles s'entrebâillent. Les mettre dans un plat de service chaud.

Lorsque toutes les moules se sont ouvertes, filtrer le jus de cuisson.

Remettre le jus dans une casserole sur feu vif, donner un bouillon.

Incorporer, hors du feu, le beurre restant à l'aide d'un fouet.

Goûter et rectifier l'assaisonnement en sel si besoin est.

Verser sur les moules et saupoudrer du persil haché.

POUR 4 PERSONNES

12 coquilles Saint-Jacques
(les faire préparer
par le poissonnier),
8 petites pommes de terre
(roseval),
100 g de beurre,
1 cuillerée à soupe
de crème fraîche,
1 citron,
10 brins de persil,
2 cuillerées à soupe
de farine,
sel, poivre.

Matériel :
couscoussier.

*Temps de cuisson
5 min*

*La pêche de ce bivalve musclé est réglementée et dès la fin mai vous pouvez être sûrs que les coquilles Saint-Jacques des restaurants ne sont plus des coquilles françaises. Très abondante autrefois en Galice espagnole, elle était l'emblème des pèlerins qui avaient «fait Saint-Jacques de Compostelle» et prouvaient en la portant au cou qu'ils avaient bien atteint leur but... Je me souviens d'un apprêt à la bretonne réservé aux jours de fête : avec la noix de deux coquilles on en remplissait trois grâce à un abondant hachis d'oignons, de persil et de pain. Ces jours-là on en mangeait à midi, le soir et quelquefois le lendemain, et on en aurait encore bien redemandé. La recette qui suit est tout simplement «meunière», les noix de Saint-Jacques sont coupées en deux et on les sert accompagnées de quelques pommes de terre cuites à la vapeur.*

Eplucher les pommes de terre, les laver, les faire cuire à la vapeur.

Couper les noix de Saint-Jacques en deux dans l'épaisseur. Les sécher sur du papier absorbant. Les saler, les poivrer.

Exprimer le jus de citron.

Laver, équeuter et hacher le persil.

Verser la farine dans une assiette creuse. Rouler les noix de Saint-Jacques dedans, les secouer pour enlever l'excédent de farine.

Faire chauffer 80 g de beurre dans une grande poêle.

Y faire dorer les coquilles Saint-Jacques, 2 minutes de chaque côté.

Les arroser du jus de citron à mi-cuisson. Lorsqu'elles sont cuites, les saupoudrer du persil haché et les réserver au chaud.

Mettre le beurre restant dans la poêle, le faire blondir en frottant le fond de la poêle avec une cuillère en bois pour décoller les sucs. Ajouter la cuillerée de crème au dernier moment en mélangeant bien.

Déposer les coquilles dans un plat de service chaud, les napper de la sauce et les entourer des pommes de terre cuites à la vapeur.

On peut également présenter les noix de Saint-Jacques dans leur demi-coquille.

# Palourdes farcies

*outes les régions ont leur spécialité de «farcis». La Bretagne aussi tout naturellement. L'amateur de coquillages peut trouver superflu ou inutile de farcir des palourdes d'un hachis d'ail et de persil qui l'emporte sur leur délicieux goût d'amande. Il pourra donc appliquer la recette qui suit à quelques espèces moins recherchées, grosses berniques, fausses palourdes ou vernis selon les cas, qui s'en trouveront considérablement améliorées.*

POUR 4 PERSONNES

4 douzaines de palourdes,
6 gousses d'ail,
150 g de beurre,
1 bouquet de persil,
30 g de chapelure,
sel, poivre.

*Temps de cuisson
10 min environ*

Sortir le beurre à l'avance du réfrigérateur.

Laver les palourdes abondamment sous l'eau froide, pour les débarrasser de tout leur sable.

Les mettre ensuite dans une grande casserole avec un peu d'eau salée. Couvrir, mettre à feu vif. Secouer de temps en temps la casserole, en maintenant le couvercle.

Retirer les palourdes au fur et à mesure de leur ouverture.

Oter la coquille formant couvercle de chaque palourde.

Travailler le beurre en pommade.

Eplucher les gousses d'ail.

Laver, effeuiller le persil.

Hacher très finement ail et persil ensemble. Ajouter ce hachis au beurre en pommade ainsi que la chapelure.

Travailler bien ce mélange, assaisonner en sel et poivre.

Farcir chaque palourde avec le beurre aillé.

Les déposer dans une lèchefrite remplie de gros sel (pour qu'elles ne se renversent pas), ou dans des plats à alvéoles. Les faire dorer à four chaud (sous la voûte), 2 à 3 minutes.

Servir immédiatement avec du pain de campagne.

800 g d'échine
de porc désossée,
250 g de foie de porc,
200 g de lard gras,
1 grande barde de lard,
3 œufs,
1 échalote,
1 gousse d'ail,
25 g de sel,
5 g de poivre moulu,
1 pincée de 4 épices,
1 cuillerée à soupe de
cognac.

*Temps de cuisson
1 h 30 min*

# Pâté de campagne

*Le pâté classique comme celui dont les recettes nous sont parvenues du Moyen Age comporte toujours une pâte et c'est ce que nous appelons aujourd'hui le pâté en croûte. Dans un repas servi par Taillevent à monseigneur d'Estampes on ne trouve, par exemple, pas moins de trois pâtés : l'un de chapons, l'autre de venaison et le troisième de poires, ce que nous appelons aujourd'hui une tourte. La grande cuisine du XIXᵉ siècle en a fait des œuvres architecturales compliquées, mais les régions se sont taillées la part du lion en envoyant dans la capitale des exemples de leur savoir-faire : de Rouen vient celui de «veau de rivière»\*, de Pithiviers celui aux mauviettes, Périgueux se signale par son pâté aux perdreaux rouges et aux truffes... La France aime les pâtés. Mon pâté de campagne breton va sembler bien simple à côté de tout cela : c'est d'ailleurs une de ses belles et bonnes qualités.*

*\*«Le veau de rivière» au XIXᵉ siècle était tout simplement un veau normand ayant été élevé dans les prairies en bordure de la Seine.*

Hacher l'échine, le foie et le lard, séparément. Les mettre dans un grand saladier.

Saler, poivrer, ajouter les 4 épices.

Eplucher et hacher très finement les échalotes et l'ail. Les ajouter aux viandes. Bien mélanger. Incorporer les œufs entiers et enfin le cognac. Bien mélanger.

Tapisser une terrine à pâté en terre avec les 3/4 de la barde.

Mettre la préparation dans la terrine.

Recouvrir avec le morceau de barde restante.

Couvrir et mettre à cuire à four moyen pendant 1 h 30.

Pour vérifier la cuisson du pâté, enfoncer une lame de couteau : elle doit ressortir lisse, sans traces de sang.

Laisser refroidir.

# Maquereaux au vin blanc

*Celui qui pêche à la traîne, en Bretagne, sort de l'eau plus de maquereaux qu'il n'en pourra consommer, à croire qu'il n'existe qu'une seule espèce de poissons. J'ai le souvenir d'un maquereau à la moutarde exquis, et de filets de maquereaux au vin blanc, servis tôt le matin et arrosés de bons verres de muscadet, un «mâchon» breton en quelque sorte.*

*N.B. : Il faut toujours choisir de petits maquereaux, comme ceux que l'on appelle «lisette» du côté de Dieppe. Ce sont les meilleurs.*

POUR 6 PERSONNES

24 petits maquereaux
(lisette),
1 bouteille
de vin blanc sec
(muscadet),
2 carottes,
2 oignons moyens,
1 citron non traité,
3 brins de thym,
1/2 feuille de laurier,
1 clou de girofle,
quelques grains
de poivre noir, sel.

*Temps de cuisson
6 min environ*

Vider, ou faire vider les maquereaux, les ébarber, les rincer sous l'eau froide, bien les sécher.

Eplucher et couper en très fines rondelles les carottes et les oignons.

Couper également le citron en fines rondelles.

Dans un très grand plat creux allant au feu et pouvant contenir tous les maquereaux, répartir la moitié des rondelles de carotte, d'oignon et de citron. Poser sur ce lit les maquereaux tête-bêche.

Recouvrir avec le reste des légumes. Répartir les grains de poivre, saler. Ajouter les brins de thym, le laurier et le clou de girofle.

Arroser de vin blanc et poser le plat sur feu doux. Porter à frémissements et laisser frémir 1 minute.

Retirer délicatement les poissons et les redisposer dans une terrine.

Remettre le liquide et les aromates sur feu vif et laisser bouillir 5 minutes. Verser ce liquide réduit sur les maquereaux dans la terrine.

Laisser refroidir et mettre au froid 1 heure au moins.

Servir accompagné de tartines grillées et de beurre salé.

144

POUR 4 PERSONNES

1 kg de raie (bouclée
de préférence),
100 g de beurre,
2 cuillerées à soupe
de câpres,
1 dl de vinaigre,
1 cuillerée à soupe de
moutarde forte,
sel, poivre.

Matériel :
un plat en terre
non vernissé.

Temps de cuisson
10 min

# Raie au beurre noisette

*Il s'agira évidemment ici de beurre noisette, le beurre noir étant hors-la-loi et considéré comme toxique à cause de l'acroléine qu'il dégage à haute température. La pratique du beurre noir remonte cependant au XVIᵉ siècle qui vit l'avènement du beurre dans notre cuisine française alors qu'auparavant elle était faite à l'huile, au lard ou au saindoux. Quant à la raie, produit du Nord et de la Manche, on la trouve surtout dans sa variété «bouclée». Sa chair maigre, très délicatement nervurée, est excellente en hiver. Ne pas craindre à l'achat une très légère odeur d'ammoniac, c'est le signe de sa bonne fraîcheur.*

Laver et brosser l'aile de raie à grande eau froide. La faire blanchir 1 minute à l'eau bouillante.

L'égoutter, la poser sur une planche, l'éplucher, la détailler en quatre morceaux.

Déposer les morceaux dans une sauteuse, les recouvrir d'un litre d'eau salée additionnée de vinaigre.

Poser la sauteuse sur feu doux et la laisser frémir 5 minutes environ sans jamais bouillir.

Egoutter les morceaux de raie, les badigeonner de moutarde, les déposer dans le plat en terre préchauffé.

Ecraser les câpres, les répartir sur la raie.

Faire fondre le beurre, salé et poivré, jusqu'à ce qu'il «chante» et prenne une légère coloration noisette. Le verser immédiatement sur la raie.

Servir très chaud, accompagné de pommes de terre vapeur.

# Sole meunière

*Les belles soles viennent de Normandie, les toutes petites ou céteaux, de l'île d'Oléron ou de l'île de Ré. Rangées au nombre des mets royaux sous Louis XIV, elles font toujours partie des poissons onéreux aujourd'hui, la variété la plus chère étant sans doute la sole de ligne. Tous les grands chefs du XIXᵉ siècle rivalisèrent d'ingéniosité pour la préparer, mais la plus simple façon de faire est sans doute «à la meunière» : on farine légèrement la sole, on la rôtit à la poêle et on l'arrose de beurre mousseux et d'un jus de citron.*

POUR 6 PERSONNES

6 soles «portions»
(la peau noire enlevée),
12 brins de persil,
1 citron,
200 g de beurre salé,
6 cuillerées à soupe
de farine fluide,
2 cuillerées à soupe
d'huile d'arachide,
sel, poivre du moulin.

*Temps de cuisson
10 min*

Sécher très soigneusement les soles.

Les saler, les poivrer et les passer rapidement dans la farine. Les secouer pour retirer l'excédent.

Faire chauffer le tiers du beurre avec l'huile dans une très grande poêle. Dès qu'elle est bien chaude, y faire dorer les soles à feu vif, côté peau d'abord.

Au bout de 5 minutes, retourner délicatement les soles à l'aide d'une spatule et les laisser cuire encore 5 minutes.

Effeuiller le persil.

Exprimer le jus du citron.

Dès que les soles sont cuites, les déposer dans un plat de service chaud. Les arroser du jus de citron. Les saupoudrer du persil haché.

Mettre le beurre restant à fondre dans la poêle. Lorsqu'il devient noisette, le verser sur les soles. Le beurre chaud va mousser au contact du persil et du jus de citron. Servir immédiatement.

# Homard au beurre d'herbes

Un crustacé de choix, ce «cardinal des mers», dont la carapace bleue aux reflets verts devient à la cuisson d'un rouge éclatant. Les apprêts de la grande cuisine classique ne lui apportent pas grand-chose, ils le banaliseraient plutôt. Un homard doit être traité simplement pour que le goût initial reste intact ou presque. Comme ici.

POUR 4 PERSONNES

4 homards mâles de 400 g
à 500 g chacun,
10 brins de ciboulette,
10 brins de cerfeuil,
10 brins de persil plat,
4 brins d'estragon,
100 g de beurre,
15 g de gros sel,
1/2 citron,
poivre.

*Temps de cuisson
14 min environ*

Exprimer le jus du demi-citron.

Effeuiller les herbes. Les mettre dans le bol du mixer avec le gros sel. Faire tourner.

Ajouter le beurre mou en morceaux. Donner quelques tours jusqu'à obtention d'une pommade.

Incorporer le jus du citron, mixer à nouveau. Poivrer et rectifier l'assaisonnement en sel.

Porter à ébullition de l'eau dans un grand fait-tout. Y plonger la tête des homards, 2 minutes.

Les couper en deux dans la longueur. Leur retirer la «pierre» (la partie noire).

Tartiner les demi-homards avec le beurre d'herbes.

Les déposer sur la lèchefrite et les faire cuire à four très chaud pendant 10 à 12 minutes.

Servir immédiatement.

POUR 4 PERSONNES

1 canette
(vidée et bridée,
abats à part),
1 kg de petits
navets nouveaux,
12 petits
oignons nouveaux,
1 blanc de poireau,
1 carotte,
1 échalote,
1 bouquet garni,
80 g de beurre,
quelques brins
de ciboulette,
huile,
sel, poivre.

*Temps de cuisson
pour le bouillon
35 min
pour la canette
40 min*

# Canette aux navets

*On prendra une canette de Challans qui vient tout droit de Vendée et beaucoup de petits navets nouveaux. Qu'ils soient de Belle-Ile ou de Nantes, ils sont très réputés et l'un des meilleurs accompagnements qui soient pour le canard dont ils absorbent la graisse en cours de cuisson.*

Eplucher la carotte et l'échalote, les émincer.

Couper le poireau en rondelles.

Mettre un peu de beurre et d'huile dans une casserole. Y faire revenir les abats (gésier, foie, cou et ailerons), ajouter les légumes émincés, le bouquet garni et 4 dl d'eau. Laisser mijoter 30 minutes.

Passer le jus à travers un chinois en pressant pour récupérer tous les sucs.

Faire chauffer un mélange de beurre et d'huile dans une cocotte. Y faire revenir la canette salée et poivrée de tous les côtés.

Jeter la graisse de la cocotte et ajouter le jus préparé précédemment. Couvrir aux 3/4 et laisser cuire à feu doux pendant 30 minutes.

Eplucher les oignons et les navets. Les faire blanchir séparément 1 minute à l'eau bouillante salée. Les égoutter, les sécher.

Ajouter navets et oignons dans la cocotte autour du canard et laisser cuire encore 20 minutes. Vérifier l'assaisonnement.

Servir le canard découpé sur un plat chaud entouré des navets et des oignons. L'arroser avec le jus de cuisson et le saupoudrer de ciboulette hachée.

153

# Poulet vallée d'Auge

*L*a Normandie est le pays de la pomme à cidre et par conséquent le calvados n'est pas très loin. L'apprêt *«vallée d'Auge»* nécessite un peu de bonne crème fraîche et une large rasade de ce liquide ambré qui sent la pomme à dix pas. Ce qui est on ne peut plus normal puisque c'est en vallée d'Auge qu'on distille le seul calvados d'appellation contrôlée.

POUR 4 À 5 PERSONNES

1 gros poulet fermier coupé en 8 morceaux par le volailler,
200 g de champignons de Paris,
225 g de crème fraîche,
5 cuillerées à soupe de calvados,
1 échalote,
1/4 de feuille de laurier,
1 brin de thym,
beurre,
sel, poivre.

*Temps de cuisson 40 min environ*

Couper le bout terreux des champignons, les brosser rapidement sous l'eau froide. Les sécher sur un torchon et les émincer.

Eplucher et hacher finement l'échalote.

Assaisonner les morceaux de poulet en sel et poivre.

Faire chauffer 50 g de beurre dans une sauteuse. Y mettre les morceaux de poulet avec le thym effeuillé et le laurier réduit en poudre.

Les faire sauter «à blanc» à feu doux (les morceaux ne doivent pas colorer), pendant 15 minutes.

Lorsque la chair est devenue blanche de tous les côtés, ajouter les champignons et l'échalote hachée. Laisser revenir quelques minutes.

Arroser avec le calvados et flamber en soulevant les morceaux, pour qu'ils s'imprègnent de calvados.

Ajouter enfin la crème, mélanger délicatement.

Rectifier l'assaisonnement en sel et poivre.

Couvrir et continuer la cuisson du poulet pendant 18 minutes.

Lorsque le poulet est cuit, le mettre avec les champignons dans un plat creux et chaud.

Laisser réduire légèrement la sauce et en napper les morceaux de poulet.

Servir accompagné de «pommes en l'air», c'est-à-dire de pommes fruits épluchées et coupées en tranches, avant d'être rôties à la poêle.

1 tranche de 2,5 cm
d'épaisseur coupée au cœur
du jambon cru avec l'os au
milieu (1,500 kg),
12 gousses d'ail,
8 grosses pommes de terre
(BF15),
3 brins de thym,
4 brins de persil plat,
5 cl d'eau,
huile d'arachide,
sel, poivre.

*Temps de cuisson
1 h 40 environ*

# Rouelle de porc aux pommes de terre

*Photo p. 156-157*

*Un morceau prélevé dans la cuisse, en plein milieu, une roue presque, entourée d'une belle épaisseur de gras et d'une couenne solide qui devient croustillante au four. Voilà bien un morceau savoureux du porc que l'on ne connaît pas assez. Servi avec des pommes de terre fondantes qui auront cuit autour, c'est un des plats les plus satisfaisants de la cuisine populaire et traditionnelle.*

Faire chauffer un peu d'huile dans un grand plat allant au four.

Y faire revenir la rouelle des deux côtés jusqu'à ce qu'elle soit dorée. Saler, poivrer, la saupoudrer de thym émietté.

Disposer les gousses d'ail non épluchées autour de la viande.

Mettre à four moyen, ajouter les 5 cl d'eau et laisser cuire 1 h 30 environ, en arrosant la viande de temps en temps.

Eplucher les pommes de terre, les laver, les essuyer, les couper dans le sens de la longueur comme des grosses frites.

A mi-cuisson, retourner la rouelle, l'arroser et ajouter un peu d'eau chaude si nécessaire.

Disposer les pommes de terre autour de la viande et les laisser cuire et dorer jusqu'à la fin de la cuisson.

En fin de cuisson, retirer la rouelle, les pommes de terre et les gousses d'ail, les disposer sur un plat de service.

Saler légèrement les pommes de terre si nécessaire.

Déglacer le plat de cuisson avec un peu d'eau chaude, récupérer le jus et en arroser la viande.

Effeuiller et hacher le persil, en saupoudrer le dessus de la rouelle.

# Rognonnade de veau

*Il s'agit d'un morceau dans la longe où une partie des rognons est encore attachée. On le commande aujourd'hui chez son boucher, les rognons étant habituellement vendus à part, ce qui n'était pas le cas en province il y a 30 ou 40 ans. C'est un morceau de choix. Il n'y a pas si longtemps le seul bon veau était normand, des bords de Seine comme on disait, blanc et rose comme une jeune Normande. J'ai donc imaginé cette rognonnade comme venant de là-bas.*

Eplucher les carottes et les oignons. Emincer les oignons et couper les carottes en bâtonnets.

Couper le lard en petits cubes.

Faire fondre un mélange d'huile et de beurre dans une cocotte de la taille du rôti.

Y faire revenir doucement les légumes et les lardons, les retirer sans laisser aucun débris.

Saler, poivrer la rognonnade. La mettre dans la cocotte et la faire dorer de tous les côtés à feu moyen. La retirer.

Remettre la garniture (carottes, oignons, lardons et branche de thym) dans le fond de la cocotte.

Poser le rôti par-dessus.

Mouiller avec la moitié du bouillon chaud. Couvrir et laisser cuire doucement 1 h 45 en surveillant la cuisson et en ajoutant le bouillon restant en cours de cuisson.

Retourner la viande de temps en temps.

Ne fermer le couvercle qu'aux 3/4, pour faire réduire la sauce si elle semble un peu «longue».

Pendant la cuisson de la viande, éplucher les champignons. Les couper en quatre. Les mettre dans une casserole avec 40 g de beurre et le jus du citron.

Saler, poivrer, couvrir et laisser cuire à couvert à feu vif, 20 minutes.

Mettre la rognonnade débarrassée des ficelles sur un plat de service chaud.

L'entourer des champignons.

Passer la sauce de la cocotte au chinois. La servir à part en saucière après avoir goûté et rectifié l'assaisonnement.

(On peut également ne pas la passer.)

POUR 8 PERSONNES

1 rôti de veau ficelé et bardé pris dans la rognonnade,
500 g de champignons de Paris,
5 oignons moyens,
2 carottes,
1 branche de thym,
1 citron,
100 g de lard fumé,
1/2 bol de bouillon,
huile, beurre,
sel, poivre.

*Temps de cuisson viande 1 h 55 min champignons 20 min*

POUR 4 PERSONNES

4 belles côtes de veau
«premières»,
400 g de champignons
de Paris,
20 oignons grelots,
2 cuillerées à soupe
de calvados,
200 g de crème fraîche,
30 g de beurre,
sel, poivre du moulin.

*Temps de cuisson
35 mn*

# Côte de veau normande

*La côte de veau, pour qu'elle soit bonne, doit être assez épaisse et cuire doucement. La préparation dite «à la normande» fait entrer bien évidemment le bon beurre et la crème, dont les Normands ne sont pas chiches.*

Eplucher les petits oignons grelots. Les plonger quelques minutes dans de l'eau bouillante salée. Les égoutter, les essuyer.

Eplucher les champignons en ôtant les bouts terreux, les laver, les sécher, les couper en quatre.

Faire chauffer le beurre dans une grande poêle.

Saler, poivrer les côtes de veau.

Les faire dorer à feu vif des deux côtés. Ajouter les oignons et les laisser cuire à feu moyen pendant 20 minutes.

A mi-cuisson, ajouter les champignons.

Retirer les côtes de veau de la poêle lorsqu'elles sont cuites ainsi que les oignons et les champignons, garder au chaud.

Verser le calvados dans la poêle, le chauffer légèrement et flamber.

Ajouter la crème en grattant le fond de la poêle avec une cuillère en bois. Rectifier l'assaisonnement, donner quelques tours de bouillon à la sauce.

La verser sur les côtes de veau et servir immédiatement.

# Blanquette de veau

Dérivé du mot blanc, blanquette désigne l'apprêt de ce plat de veau mijoté dans lequel peut entrer un roux blanc, mais aussi de la crème et des œufs. La blanquette de veau est un des plats phares du patrimoine culinaire français, pas typiquement d'une seule région sans doute, mais qui va très bien à la Normandie, pays de crème, d'œufs et de beurre.

Eplucher carottes et oignon, piquer ce dernier du clou de girofle.

Couper les carottes en fines rondelles.

Faire chauffer le beurre et 1 cuillerée à soupe d'huile dans une cocotte. Y faire dorer les morceaux de veau de tous les côtés, par petites quantités.

Remettre tous les morceaux dans la cocotte avec les carottes, l'oignon, thym, laurier, branche de céleri et persil liés en bouquet, quelques grains de poivre et une poignée de gros sel.

Couvrir avec l'eau d'Evian qui doit dépasser la viande de 1 cm (ajouter de l'eau si nécessaire).

Porter à ébullition, puis baisser le feu et laisser frémir 45 minutes à couvert.

Eplucher les oignons et les champignons pendant la cuisson de la blanquette.

Couper les champignons en quatre, les faire dorer à la poêle dans 40 g de beurre. Saler, poivrer.

Faire revenir également les oignons, les ajouter aux champignons et les réserver au chaud.

Mettre les jaunes d'œufs dans un grand bol. Les mélanger avec le demi-jus du citron et la crème. Saler, poivrer.

1,500 kg de tendrons et de flanchet de veau coupés en morceaux,
2 carottes,
1 branche de céleri,
1 oignon,
2 brins de thym,
1 feuille de laurier,
3 brins de persil,
1 poignée de gros sel,
grains de poivre,
1 clou de girofle,
50 g de beurre,
huile d'arachide,
1 litre d'eau d'Evian.

Pour la sauce :
2 jaunes d'œufs,
100 g de crème,
1 citron,
7 dl de bouillon de cuisson de la blanquette.

Accompagnement :
18 petits oignons grelots,
250 g de champignons de Paris,
80 g de beurre,
sel, poivre.

*Temps de cuisson
1 heure*

Délayer ce mélange avec un peu de bouillon bouillant prélevé dans la cocotte.

Retirer les morceaux de viande, les réserver sur un plat creux chaud, avec les champignons et les oignons.

Retirer le bouquet garni, carottes et oignon du bouillon.

Verser le contenu du bol dans la cocotte en fouettant.

Remettre sur feu très doux sans cesser de fouetter, en faisant très attention de ne pas laisser bouillir.

Verser cette sauce sur les morceaux de viande.

Servir aussitôt.

Accompagner la blanquette de riz.

Il est possible de préparer la blanquette à l'avance, mais la sauce sera préparée à la dernière minute, car elle ne peut être réchauffée.

1 beau chou-fleur
bien blanc,
1/2 litre de lait,
20 g de farine,
25 g de beurre,
70 g de gruyère râpé,
50 g de parmesan râpé,
2 cuillerées à soupe
de crème fraîche,
1 jaune d'œuf,
2 cuillerées à soupe de pain
de mie rassis
mis en chapelure,
50 g de noisettes de beurre,
sel, poivre, muscade.

*Temps de cuisson
du chou-fleur
30 min*

# Gratin de chou-fleur

*Il y a bien, parmi les «gratins», des gratins qui ont leur place dans la grande cuisine classique et font appel à des produits dits nobles (sole, homard, coquilles Saint-Jacques) ; et puis ceux de tous les jours, saupoudrés de chapelure ou de fromage de gruyère et mis au four jusqu'à ce que la croûte en soit bien dorée. Dans une Bretagne riche en choux-fleurs, c'est une des recettes traditionnelles de cuisine familiale, et un plat qui peut être préparé à l'avance et mis au four au dernier moment.*

Couper la base du chou-fleur en retirant les feuilles vertes, éplucher les bouquets abîmés, creuser le trognon.

Mettre 3 cm d'eau dans une casserole, saler et porter à ébullition. Mettre le chou-fleur dans la casserole en le posant sur le trognon. Faire repartir l'ébullition et couvrir.

Laisser cuire 15 minutes. L'égoutter.

Préparer la sauce pendant la cuisson du chou-fleur.

Faire fondre le beurre dans une casserole à fond épais. Ajouter la farine et mélanger. Puis ajouter le lait chaud sans cesser de tourner.

Assaisonner en sel, poivre et muscade. Laisser mijoter 10 minutes.

Lui incorporer les 2/3 des fromages, la crème fraîche, le jaune d'œuf.

Mélanger bien pour avoir une sauce onctueuse.

Mélanger les fromages râpés restants à la mie de pain.

Séparer les bouquets de chou-fleur les uns des autres en les replaçant dans la même position sur un plat allant au four.

Napper, au fur et à mesure, les bouquets de sauce. Saupoudrer avec la mie de pain mélangée aux fromages. Parsemer de noisettes de beurre.

Mettre à gratiner à four chaud à 240° (th 8), 10 minutes.

# Douillons

Au moment du dessert, les cuisinières ont toujours des idées. Le douillon n'est autre qu'une poire enveloppée dans de la pâte à tarte ou à pain... à la différence du bourdelot, normand lui aussi, qui préfère la pomme. Sorte de chausson doré, il peut s'en échapper, si l'on veut, un délicieux parfum de calvados.

POUR 4 PERSONNES

4 belles poires
mûres mais fermes,
280 g de pâte à pain
(achetée chez
le boulanger),
80 g de beurre,
1 jaune d'œuf.

Accompagnement :
150 g de crème fraîche,
sucre en poudre
légèrement vanillé.

*Temps de cuisson
30 min*

Faire ramollir légèrement le beurre et l'incorporer en petits morceaux à la pâte à pain.

Travailler quelques minutes pour bien l'incorporer.

Laver et essuyer soigneusement les poires. Faire attention à ne pas casser les queues.

Etaler la pâte, la diviser en cinq.

Enrober chaque poire dans un morceau de pâte.

Pincer la pâte au sommet et coller les plis en les badigeonnant avec un peu d'eau.

Découper quatre collerettes dans la pâte restante, à l'aide d'un emporte-pièce.

Les poser autour des queues des poires.

Les coller avec un peu d'eau.

Badigeonner les douillons au jaune d'œuf à l'aide d'un pinceau.

Mettre les douillons à four moyen-chaud à 180° (th 6) environ, et les faire cuire 25 à 30 minutes.

Servir les douillons accompagnés de crème fraîche et de sucre légèrement vanillé.

POUR 6 PERSONNES

Pour la pâte :
250 g de farine,
125 g de beurre,
1 cuillerée à soupe de sucre,
1 jaune d'œuf,
5 cuillerées à soupe d'eau,
1 pincée de sel.

Garniture :
7 pommes reinette,
1 œuf,
50 g de sucre.

Matériel :
1 moule à tarte de 25 cm
de diamètre.

*Temps de cuisson
compote
15 min
tarte
30min*

*A bien y regarder, la France n'est pas hexagonale mais ronde comme une tarte, et depuis le Moyen Age on a connaissance des usages et des ressources régionales par les tartes qu'on y donne. L'ouest de la France est le domaine de la pomme et de la poire, et par conséquent de la tarte aux pommes. Traditionnellement faite de pâte à pain elle s'est raffinée au cours des années, affinée, étirée aussi jusqu'à devenir quelquefois une merveille de finesse.*

Eplucher les pommes. En réserver trois. Couper les quatre autres en morceaux, les mettre dans une casserole avec un peu d'eau. Les faire cuire à feu moyen jusqu'à ce qu'elles soient réduites en compote.

Les écraser à la fourchette, ajouter un rien de sucre si elles sont trop acides. Laisser refroidir.

Mettre farine et sel dans un saladier. Ajouter le beurre mou en morceaux. Travailler à la fourchette en incorporant petit à petit l'eau.

Ajouter le sucre. Rouler la pâte en boule, la laisser reposer 1/2 heure, recouverte d'un torchon.

Beurrer le moule.

Etaler la pâte, en tapisser le moule.

Piquer le fond et les côtés avec une fourchette.

Faire cuire la tarte à «blanc», à four moyen pendant 15 minutes.

Couper les pommes restantes en très fines lamelles.

Garnir le fond de tarte avec la compote. Disposer régulièrement les tranches de pommes par-dessus.

Battre l'œuf avec le sucre, en napper le dessus de la tarte.

Dorer les bords de la pâte au jaune d'œuf.

Placer la tarte dans le bas du four et la faire cuire à température moyenne, 15 minutes.

# Far breton

*Il a la consistance d'un flan et on le coupe en larges parts à même le plat de cuisson. Avec, on boira sans doute une bolée de ce cidre de Fouesnant que l'on sait encore faire un peu âpre, pour une consommation locale avertie. Le far aux pruneaux (spécialité de Quiberon), celui aux raisins (brestois d'origine) ou encore le far nature de Saint-Pol-de-Léon peuvent le supporter : ils sont bien assez sucrés comme ça.*

Laver les pruneaux, les mettre dans une casserole d'eau froide et les faire cuire 10 minutes à feu doux (ils doivent être tendres mais encore fermes), les égoutter, les dénoyauter.

Porter le lait à ébullition.

Mélanger sucre et farine dans une grande terrine, puis y incorporer les œufs entiers un par un.

Verser le lait bouillant lentement sur le mélange précédent en tournant très vite à l'aide d'une cuillère en bois.

Beurrer légèrement le plat, y verser la préparation et mettre à cuire à four moyen pendant 20 minutes.

A mi-cuisson ajouter les pruneaux dénoyautés en les répartissant. Le far est cuit lorsqu'il est doré.

Servir légèrement tiède ou froid.

POUR 6 PERSONNES

200 g de farine,
200 g de sucre en poudre,
4 œufs entiers,
1 litre de lait,
225 g de pruneaux moelleux.

Matériel :
un plat allant au four
(en terre de préférence)

*Temps de cuisson
30 min*

ALSACE

En passant par l'Alsace nous avons aussi annexé la Lorraine et même (qu'on me pardonne) la Picardie. Toutes les provinces où l'on ne ménage ni son temps ni sa peine au quotidien, où la cuisine de ménage a du génie et où la convivialité (mot mis à toutes les sauces trop souvent) trouve sa pleine expression.

L'Alsace d'abord. Sans doute la province que je préfère après le Lyonnais. Pour son abondance, sa gentillesse et la générosité de ses traditions culinaires qui ont su tirer parti de toutes les influences voisines. On y retrouve aussi bien le savoir-faire des territoires de l'Est célèbres pour leur charcuterie, la débauche des pâtisseries «maison» comme on aime à les faire en Allemagne, et la marque des communautés juives, notamment dans l'utilisation des épices ou l'utilisation de l'oie.

Toujours prête pour le peintre du dimanche, avec ses balcons pleins de géraniums, sa route des vins superbe en automne, l'Alsace est sans conteste une gardienne vigilante des tours de main culinaires. On jurerait qu'un parfum de lessive et de savon flotte encore sur le baekeofe et qu'il y aura toujours un Hansi dans la salle pour surprendre l'arrivée de la première rhubarbe, le contentement de l'amateur de flammenküche, et l'œil brillant des enfants devant les tartes des jours de fête.

Il faut signaler également que le gibier et les poissons d'eau douce y sont plus nombreux et préservés qu'ailleurs, que, comme on ne saurait l'ignorer, le chou y est roi et la choucroute (il existe une quarantaine de façons de la préparer) une des plus belles inventions des bonheurs de la table.

La Lorraine ensuite. Pays de sources et de cours d'eau, de châtaigniers et de hêtres, on y respire le bon air des Vosges et la douceur des

côtes de la Meuse. Célèbre pour sa quiche et sa potée, la Lorraine l'est aussi pour une remarquable tradition charcutière qui s'illustre assez bien dans le fait «qu'il n'y a de bon boudin que lorrain». Côté «douceurs», elle peut aussi rivaliser avec l'Alsace grâce à ses confitures de groseilles épépinées à la plume d'oie (Bar-le-Duc), ses macarons (Nancy), ses madeleines en boîtes d'écorce de châtaignier (Commercy), et ses eaux-de-vie de mirabelle.

Certains prétendent que la différence entre la cuisine lorraine et l'alsacienne est à peu près la même que celle qui existe entre la normande et la bretonne : ici non plus on ne déteste pas la crème.

La Picardie, enfin. On ne parle pas beaucoup des traditions culinaires picardes. J'ai voulu réparer cet oubli en la rattachant (un peu arbitrairement sans doute) à l'Alsace et à la Lorraine. La Picardie mérite qu'on s'y arrête.

Si la flamiche (aux poireaux, à l'oignon ou aux pommes de terre) vaut le détour, il ne faut pas oublier non plus que le Pays picard produit des viandes remarquables (celles de la baie de Somme), du gibier d'eau en quantité, des fromages forts en goût comme le fameux maroilles, et que dès le XVIIe siècle, le pâté de canard d'Amiens était une des spécialités les plus renommées et les plus connues de Paris.

# Soupe aux cerises

POUR 6 PERSONNES

750 g de cerises noires,
3 cuillerées à soupe
de sucre en poudre,
2 cuillerées à café
de kirsch,
1 petite cuillerée à soupe
de maïzena,
1 baguette de pain,
beurre.

*Temps de cuisson
20 min*

*Dans la tradition alsacienne, la soupe aux cerises se proposait le soir de Noël. Les cerises utilisées ce jour-là ne pouvaient donc qu'être en bocaux, comme on aime à les préparer là-bas, avec tous les fruits abondants de l'été. Il en existe une version sucrée-salée et au vin rouge ; dans la mienne j'ai choisi le kirsch, dont l'usage ici me semble indispensable.*

Laver et équeuter les cerises. Bien les essuyer.

Les mettre dans une grande casserole avec le sucre et le kirsch.

Poser la casserole sur feu moyen et laisser cuire 15 minutes à partir de l'ébullition.

Couper la baguette en rondelles d'un bon centimètre d'épaisseur.

Faire chauffer un gros morceau de beurre dans une poêle.

Y faire dorer les rondelles de pain des deux côtés, en ajoutant du beurre si nécessaire.

Les répartir dans six assiettes creuses.

Vérifier que les cerises sont cuites en en prélevant une : elle doit s'écraser entre les doigts.

Délayer la maïzena dans un peu d'eau froide.

Retirer les cerises à l'aide d'une écumoire, en laissant la casserole sur feu doux.

Verser la maïzena dans le jus des cerises en tournant vivement pour bien l'incorporer et lier.

Remettre les cerises dans la casserole quelques secondes.

Répartir la soupe de cerises dans les assiettes, sur les croûtons.

Pour la pâte à crêpes :
200 g de farine,
30 cl de lait,
10 cl de bière,
2 gros œufs,
2 cuillerées à soupe
de beurre fondu,
sel.

Pour la garniture :
450 g de champignons
de Paris,
50 g d'échalotes,
1 citron,
6 grandes tranches de
jambon très fines,
150 g de gruyère râpé,
3 dl de crème fraîche,
beurre,
sel, poivre,
1/4 de litre de béchamel.

*Temps de cuisson
30 min environ
+ cuisson des crêpes*

# Ficelles picardes

*Nous avons tous mangé des ficelles picardes sans le savoir. C'est un plat de famille que les enfants aiment bien, de fines crêpes salées roulées sur une béchamel aux champignons et au jambon et mises à gratiner au four, recouvertes de crème et de fromage râpé.*

*Si l'on considère que la béchamel, tout comme la duxelle de champignons qui l'enrichit ici, date du XVIIe siècle, c'est donc une recette qui ne peut lui être antérieure.*

Préparer la pâte à crêpes :

Mettre la farine avec le sel dans un saladier.

Délayer d'abord avec le lait froid, ce qui évitera les grumeaux.

Ajouter les œufs et le beurre fondu.

Laisser reposer la pâte au moins 1 h 30.

Eplucher, laver, et sécher les champignons. Les hacher ; les arroser du jus du citron.

Eplucher et hacher finement les échalotes. Faire fondre une noix de beurre dans une casserole. Y faire revenir les échalotes hachées. Ajouter les champignons et laisser cuire 10 minutes.

Préparer la béchamel avec beurre, farine et lait.

Fouetter la pâte à crêpes et lui incorporer la bière.

Faire 12 crêpes fines dans une poêle à revêtement anti-adhésif de 22 cm de diamètre.

Mélanger la duxelle de champignons à la béchamel.

Poser une fine tranche de jambon sur chaque crêpe.

Répartir le mélange aux champignons par-dessus.

Les rouler, bien serrées, en forme de ficelle.

Les déposer au fur et à mesure dans un plat à gratin beurré.

Les napper de crème et les saupoudrer du gruyère râpé.

Faire gratiner à four chaud, 10 minutes.

Servir immédiatement.

# Tarte à la flamme (flammenküche)

*Littéralement le mot se traduit par «tarte à la flamme» et elle était traditionnellement cuite chez le boulanger. Aujourd'hui elle est de toutes les fêtes du vin, presque comme une spécialité de foire et on la mange brûlante à peine sortie des fours de plein air rudimentaires.*

Eplucher et émincer les oignons, les faire fondre légèrement, sans colorer, à la poêle dans du beurre.

Couper le lard en petits lardons après avoir retiré la couenne.

Les faire blanchir 1 minute à l'eau bouillante, les rafraîchir sous l'eau froide, les sécher.

Mélanger le fromage et la crème, saler et incorporer 4 cuillerées à soupe d'huile de colza.

Préchauffer le four à 240° (th 8).

Etaler la pâte à pain le plus finement possible.

En tapisser la plaque à pâtisserie du four légèrement beurrée.

Relever les bords et les rouler pour former un bourrelet.

Etaler les oignons fondus sur la pâte. Répartir les lardons. Napper du mélange crème-fromage blanc. Arroser d'un filet d'huile de colza.

Mettre à four très chaud pendant 10 minutes environ.

POUR 6 PERSONNES

600 g de pâte à pain (achetée chez le boulanger), 300 g d'oignons, 250 g de lard fumé, 150 g de fromage blanc, 2 dl de crème fraîche, 6 cuillerées à soupe d'huile de colza, beurre, sel.

*Temps de cuisson 15 min environ*

POUR 8 PERSONNES

15 beaux poireaux,
250 g de crème fraîche,
1 jaune d'œuf,
50 g de beurre,
35 g de farine,
gros sel,
muscade, sel, poivre.

Pour la pâte :
225 g de farine,
170 g de beurre,
60 g de saindoux,
1 jaune d'œuf,
1 sachet de levure
alsacienne,
1 pincée de sel,
7 cl d'eau.

*Temps de cuisson
garniture
30 min
tourte
30 min*

*A*ussi dite flamique, elle est à la Picardie ce que la quiche est à la Lorraine. Selon les cas tarte ou tourte, la plus connue est aux poireaux, «a porions» comme on dit là-bas. Elle se mange en entrée, accompagnée d'un verre de bière du cru.

Eplucher les poireaux, les laver. En retirer le vert.

Plonger les blancs 2 minutes à l'eau bouillante salée.

Les égoutter, les rafraîchir sous l'eau froide.

Les remettre à cuire à l'eau bouillante salée pendant 20 minutes. Les égoutter en réservant un verre de leur jus de cuisson.

Sécher bien les poireaux sur du papier absorbant.

Préparer la pâte : mettre la farine dans une terrine avec sel, beurre et saindoux coupés en petits morceaux.

Travailler la pâte du bout des doigts. Ajouter la levure, le jaune d'œuf, puis juste assez d'eau pour obtenir une pâte souple. La rouler en boule.

Préparer la sauce : faire fondre le beurre dans une casserole. Ajouter la farine en mélangeant bien, pour le roux.

Mouiller avec les 2/3 du jus des poireaux déjà réservé. Mélanger bien à l'aide d'une cuillère en bois.

Ajouter la crème en tournant et laisser cuire à feu doux 7 à 10 minutes. Assaisonner en sel, poivre et muscade.

Couper les poireaux en tronçons de 2 cm. Les ajouter dans la sauce.

Allumer le four à température moyenne à 210° (th 7).

Diviser la pâte en deux parties inégales (2/3, 1/3). Les étaler en deux disques.

Tapisser le fond et les côtés d'une tourtière beurrée avec la plus grande abaisse en la faisant déborder tout autour.

Piquer le fond à la fourchette.

Verser la préparation aux poireaux dans la tourtière. Recouvrir avec le deuxième disque de pâte.

Souder les bords avec un peu d'eau en les pinçant pour bien les faire adhérer.

Faire une cheminée au centre à l'aide d'un petit carton roulé.

Dorer le dessus au jaune d'œuf.

Faire cuire au four 30 minutes environ.

# Quiche lorraine

*Dans les textes culinaires, la quiche lorraine apparaît dès la fin du XVI<sup>e</sup> siècle. Bien avant que Stanislas Leszczynski, roi de Pologne, ait fait de Nancy une capitale du savoir-vivre et manger. Issu de l'allemand «Kuchen» qui signifie gâteau, la quiche de nos jours est de partout et désigne une tarte salée dont la garniture est liée aux produits locaux. La Lorraine étant réputée pour ses charcuteries, c'est donc tout naturellement que de délicats lardons de poitrine fumée viennent ici se mélanger à la crème et aux œufs.*

Beurrer le moule à tarte.

Etaler la pâte sur un plan fariné, en tapisser le moule. Allumer le four à 240° (th 8).

Détailler la poitrine fumée en petits dés, les faire sauter à la poêle dans du beurre, les égoutter, les étaler sur le fond de la tarte.

Couper le jambon en petits cubes, les répartir sur le fond de tarte.

Casser 3 œufs entiers dans un saladier, ajouter les jaunes des 3 autres. Commencer à les battre en omelette à la fourchette en leur incorporant la crème. Assaisonner en sel, poivre, ciboulette et muscade.

Couper le gruyère en petits dés, l'ajouter au mélange crème-œufs.

Verser cette préparation dans le fond de tarte.

Mettre la quiche au four et la laisser cuire 30 minutes environ.

POUR 6 PERSONNES

200 g de pâte brisée,
200 g de poitrine fumée,
1 tranche épaisse
de jambon blanc (100 g),
6 œufs,
1/2 litre de crème,
100 g de gruyère,
20 g de beurre,
1 pincée de muscade râpée,
quelques brins
de ciboulette,
sel, poivre,
farine.

Matériel :
un moule à tarte
de 22 cm de diamètre.

*Temps de cuisson
35 min environ*

# Baekeofe

*On pourrait l'appeler aussi potée boulangère. C'était là une tradition vivante dans les campagnes, il n'y a pas si longtemps, que de porter au boulanger le plat que l'on voulait cuire. Ici ce pouvait être un poulet, là une tarte. En Alsace, il s'agissait d'une terrine de terre où couches de pommes de terre alternaient avec des morceaux de porc. Mouton et bœuf y furent ajoutés plus tard pour enrichir le plat. La petite histoire veut aussi que le jour du baekeofe ait été le lundi, jour de lessive, opération qui laissait peu de temps à l'Alsacienne pour s'occuper du repas. Déjà préparé la veille, il ne restait donc plus qu'à le confier au boulanger qui en surveillait la cuisson lente entre deux fournées. Indispensable à sa réussite : un large plat en terre allant au four dans lequel il pourra mijoter et garder tout son moelleux.*

La veille : couper les viandes en tranches épaisses, les mettre dans une terrine. Les arroser avec le vin blanc.

Eplucher, laver les poireaux, les couper en tronçons.

Eplucher et émincer 2 oignons. Eplucher les gousses d'ail.

Ajouter ces légumes, le bouquet garni ainsi que sel et poivre dans la terrine. Couvrir et laisser mariner au frais toute la nuit en remuant 2 à 3 fois pour que la viande soit bien imprégnée de la marinade.

Le lendemain : éplucher les pommes de terre ainsi que les oignons. Couper les pommes de terre en rondelles, émincer les oignons.

Retirer la viande de la marinade, passer celle-ci au chinois.

Faire blanchir les pieds de porc 5 minutes à l'eau bouillante, les égoutter.

Déposer au fond de la cocotte une couche de pommes de terre, puis une couche d'oignons.

Continuer en alternant les couches de viandes ainsi que les demi-pieds de porc entre les couches d'oignons et de pommes de terre.

Saler et poivrer entre les couches. Mouiller avec la marinade diluée dans environ 1 litre d'eau.

Mélanger un peu de farine et d'eau de façon à obtenir une pâte. Couvrir la terrine en soudant le couvercle avec

POUR 10 PERSONNES

800 g d'épaule
de mouton désossée,
800 g d'épaule
de bœuf désossée,
800 g d'épaule de porc,
2 pieds de porc
coupés en deux,
3 kg de pommes
de terre (roseval),
750 g d'oignons,
5 poireaux,
8 gousses d'ail,
1 bouquet garni,
1 litre de vin d'Alsace
(sylvaner ou riesling),
sel, poivre,
farine.

*Temps de cuisson
3 h 15 min*

cette pâte pour que la fermeture en soit hermétique.

Allumer le four à température moyenne à 180° (th 6).

Mettre la cocotte sur le feu en l'isolant avec une plaque d'amiante, pour démarrer la cuisson.

Enfourner la cocotte et laisser cuire à four moyen au moins 3 heures. Sortir les viandes et les couper en morceaux pour que chacun puisse avoir un peu des trois viandes. Accompagner ce plat d'une simple salade.

# Choucroute garnie à l'alsacienne

Francisation du mot allemand «sauerkraut» (herbe ou plante aigre), la choucroute représente d'abord le chou fermenté avant de désigner le plat qu'il accompagne dans son entier. Cette spécialité typiquement alsacienne, promue au rang de spécialité nationale tout court, ne date pas d'hier. Au XVIe siècle, on trouve déjà mention du mot et de quelques accompagnements étranges aujourd'hui : harengs frits, saumon et escargots. Pour ceux qui pensent que la choucroute au poisson est une invention de la nouvelle cuisine voilà bien la preuve du contraire. Mais de façon courante, la choucroute garnie est plus fréquemment «traversée par le cochon» pour reprendre une expression alsacienne populaire. J'ai nommé le jambonneau, la palette, le lard et plusieurs sortes de saucisses pour faire bonne mesure. Bref, ce que dans les restaurants parisiens, on nommerait une choucroute royale.

Mettre le jarret, l'épaule, la poitrine de porc fumé, et la poitrine demi-sel dans un grand fait-tout, les recouvrir d'eau froide, les faire cuire à petits frémissements 30 minutes environ en écumant la surface du liquide.

Rincer la choucroute dans plusieurs eaux, bien l'égoutter en la pressant entre les mains.

Eplucher et émincer les oignons, éplucher et écraser la gousse d'ail.

Enfermer les baies de genièvre, le poivre, le thym, le laurier dans un petit sachet de gaze.

Mettre la graisse d'oie à fondre dans une grande cocotte en fonte. Y faire fondre les oignons, ajouter la choucroute, mélanger bien de façon à enrober le chou de graisse.

Ajouter le sachet d'épices et la gousse d'ail. Mouiller avec le vin blanc et le bouillon, mélanger, couvrir.

Mettre à cuire à four moyen pendant 2 heures. La choucroute doit rester légèrement croquante.

45 minutes après le début de la cuisson, sortir la cocotte du four, retirer la moitié de la choucroute.

Egoutter les viandes, les poser dans la cocotte, recouvrir avec la choucroute enlevée et remettre au four pour 30 à 40 minutes.

POUR 6 PERSONNES

1,500 kg de choucroute crue,
1 gros jarret de porc demi-sel,
1 épaule de porc fumé (schiffala),
300 g de poitrine de porc fumé,
300 g de poitrine de porc demi-sel,
4 saucisses de Montbéliard fumées,
6 saucisses de Strasbourg,
6 petits boudins noirs,
200 g de saucisses blanches,
100 g de graisse d'oie,
2 oignons,
2 gousses d'ail,
15 baies de genièvre,
1 branche de thym,
1/2 feuille de laurier,
6 grains de poivre,
1/2 litre de sylvaner,
2 verres de bouillon ou d'eau,
sel.

*Temps de cuisson
2 h 30 min environ*

Ajouter les saucisses de Montbéliard et laisser cuire encore 40 minutes.

Au dernier moment, faire griller les boudins et la saucisse blanche à la poêle dans un peu de graisse d'oie.

Faire pocher les saucisses de Strasbourg dans un peu d'eau de cuisson des viandes.

Sortir le sachet d'épices de la choucroute, la verser dans un grand plat en terre creux.

Disposer les viandes, les saucisses et les boudins dessus. Servir accompagnée de pommes de terre cuites à l'eau.

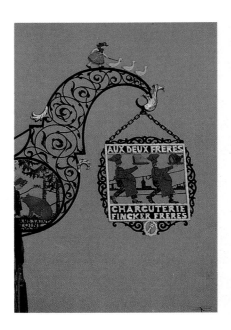

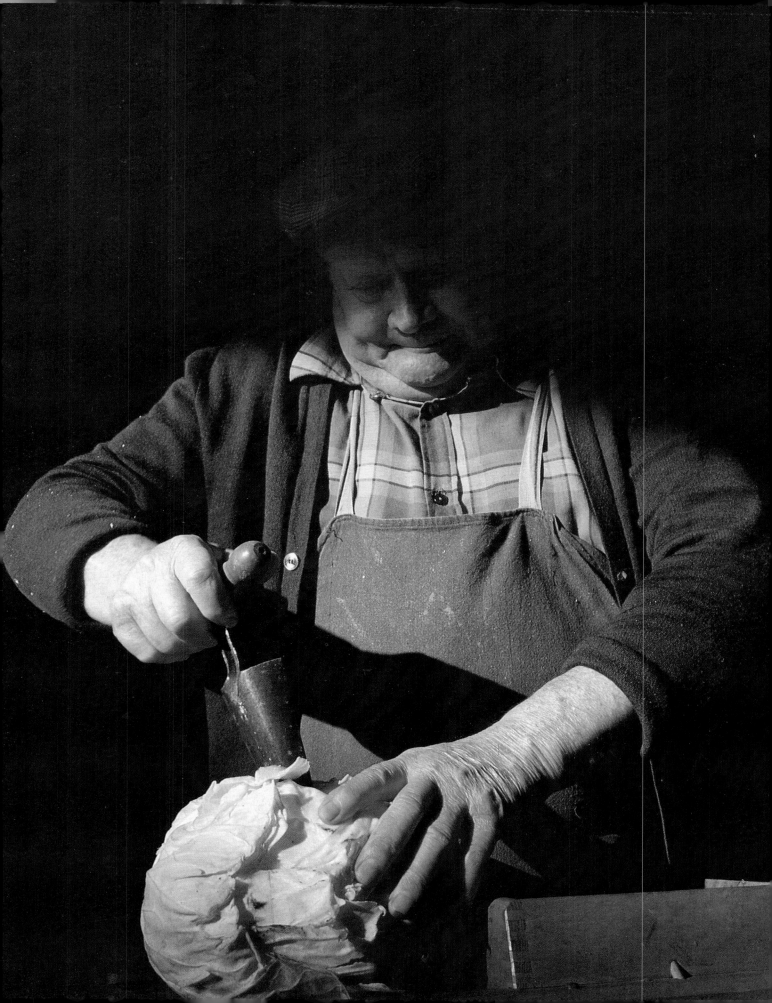

# Mont-blanc

*C'est un entremets froid qui ne nécessite aucune cuisson à l'exception de celle des marrons. Spécialité familiale pour enfants gourmands, elle figure également au répertoire de la pâtisserie classique. On peut si l'on veut (et si on aime décidément beaucoup les marrons) en parsemer la surface de brisures de marrons glacés.*

POUR 8 PERSONNES

1,500 kg de marrons,
1 litre de lait,
200 g de sucre en poudre,
100 g de beurre,
1 gousse de vanille,
250 g de crème fleurette,
1 cuillerée à café
de sucre glace,
1 sachet de sucre vanillé.

Matériel :
1 moule en couronne

*Temps de cuisson
des marrons
45 min*

Laver les marrons et inciser en croix la première peau à l'aide d'un couteau pointu. Les mettre dans une casserole, les recouvrir d'eau froide.

Porter à ébullition, les laisser bouillir 1 minute. Les éplucher en enlevant les deux peaux.

Faire bouillir le lait avec la gousse de vanille fendue en deux dans la longueur.

Ajouter le sucre et les marrons épluchés. Les laisser cuire à feu très doux 45 minutes.

Egoutter les marrons et les passer au presse-purée grosse grille en ajoutant, au fur et à mesure, le beurre en petits morceaux.

Garnir le moule en couronne avec ces «vermicelles», sans les tasser.

Mettre au froid pendant 30 minutes.

Fouetter la crème fleurette en chantilly en lui ajoutant le sucre glace et le sucre vanillé.

Démouler la couronne sur un plat de service.

Garnir le centre de crème chantilly à l'aide d'une poche à douille.

POUR 8 PERSONNES

400 g de pâte feuilletée,
500 g de
fromage blanc égoutté,
1 verre de crème fraîche,
3 œufs,
120 g de farine,
1/2 litre de lait,
250 g de sucre en poudre,
beurre.

*Temps de cuisson
40 min*

# Tarte alsacienne au fromage blanc

*A mettre, les jours de fête, aux côtés de toutes les tartes aux fruits qui font de l'Alsace un pays aux mille couleurs. La tarte au fromage blanc, quelquefois appelée au «mangin» quand elle comporte aussi de la crème, peut se manger tiède ou froide.*

Faire chauffer le lait.

Mettre dans une terrine le fromage blanc bien égoutté et le sucre. Mélanger. Ajouter la farine, puis les œufs, un par un, et enfin la crème.

Mélanger soigneusement à l'aide d'une cuillère en bois.

Incorporer toujours en tournant le lait chaud petit à petit.

Allumer le four à température moyenne à 210° (th 7).

Etaler la pâte et en tapisser le moule préalablement beurré.

Piquer le fond avec une fourchette.

Verser la préparation au fromage blanc sur la pâte et faire cuire au four, environ 35 minutes.

Eteindre le four lorsque la pâte est cuite, mais la laisser 5 bonnes minutes à l'intérieur, porte ouverte.

Démouler la tarte à sa sortie du four et la mettre à refroidir sur une grille.

A déguster tiède ou froide.

# Tarte à la rhubarbe

En Alsace, la première rhubarbe de printemps va tout naturellement sur les tartes. On a bien le temps d'attendre juillet pour en faire compotes et confitures. Comme l'asperge, la rhubarbe était classée jusqu'au XVIIIe siècle parmi les plantes à vertus curatives ou tout simplement à destination décorative. Messieurs les Anglais ont tiré les premiers et les premiers en ont garni leurs fameux «pies», plus connus chez nous sous le nom de tourtes.

Mélanger la farine avec la levure et le sel.

Faire un puits au centre, y verser l'huile, cuillerée par cuillerée, en remuant énergiquement pour bien imprégner la farine.

Ajouter l'eau doucement. Incorporer l'œuf, mélanger. La pâte doit être assez fluide.

Beurrer un moule à tarte.

Y verser la pâte, l'égaliser avec la main ou le dos d'une cuillère. La pâte ne doit pas reposer.

Allumer le four à 210° (th 7).

Eplucher les côtes de rhubarbe en retirant les gros filaments.

Les couper en morceaux de 4 cm de long. Les disposer sur la pâte.

Fouetter l'œuf et le sucre en poudre jusqu'à ce que le mélange blanchisse.

Le verser sur les morceaux de rhubarbe.

Faire cuire à four moyen 35 minutes environ.

Servir tiède ou froide.

POUR 4 PERSONNES

150 g de farine,
1 paquet de levure alsacienne,
1 œuf,
8 cuillerées à soupe d'huile d'arachide,
5 cuillerées à soupe d'eau,
2 pincées de sel.

Garniture :
4 grandes côtes de rhubarbe,
1 œuf,
6 cuillerées à soupe de sucre en poudre.

*Temps de cuisson 35 min*

POUR 8 PERSONNES

Pour la pâte :
300 g de farine,
150 g de beurre,
150 g de sucre semoule,
2 œufs entiers,
1 jaune d'œuf,
1 pincée de sel.

Garniture :
1 kg de quetsches,
beurre, farine, sucre,
sucre glace.

*Temps de cuisson
30 min*

# Tarte aux quetsches

*En Alsace on aime à dire que la fameuse pomme, proposée par Eve et croquée par Adam, serait en réalité une quetsche. Chacun s'arrange avec ses ressources locales. La tarte aux quetsches, doucement acide, est en saison de toutes les fêtes, à côté de ses sœurs aux mirabelles, aux pommes, au fromage blanc et à la confiture. On ne lésine pas sur les desserts en Alsace et si on peut presque nommer les saisons par les tartes, n'oublions pas qu'une pratique remontant au XVe siècle permet aussi d'avoir toute l'année des quetsches que l'on aura faites sécher dans le four à pain encore tiède.*

(La pâte est à préparer 2 heures à l'avance.)

Sortir le beurre à l'avance, pour pouvoir le travailler à la cuillère. Le réduire en pommade et lui incorporer les œufs un par un.

Verser la farine dans un saladier, y faire un puits.

Incorporer le mélange beurre-œufs en travaillant à la main.

Ajouter le sucre et le sel, mettre en boule et laisser reposer 2 heures au réfrigérateur.

Laver et essuyer très soigneusement les fruits. Les ouvrir avec un couteau pointu et retirer les noyaux.

Commencer par étaler la pâte, d'abord au rouleau, puis l'étirer à la main.

En tapisser le moule à tarte préalablement beurré. Piquer le fond avec une fourchette. Le saupoudrer avec une cuillerée à soupe d'un mélange farine et sucre, pour éviter que la pâte ramollisse.

Dresser les fruits debout en les serrant bien. Les saupoudrer de sucre glace.

Mettre à four chaud à 240° (th 8), pendant 30 minutes.

# Index

# Crédits photographiques